U0132352

JPC
H K

盧瑋鑾文編年選輯

傻瓜的夢

一九五七——一九八〇

盧瑋鑾 著
許迪鏘 編

凡例

◇ 本集主要選輯盧瑋鑾先生由一九五七至二〇一九年止的報刊專欄、著作序跋，以及應約文稿。其中一九五八、一九六〇、六一和六二年未見有文章發表。

◇ 所選文章均按原初刊出的文字發排，曾選入單行本的，據其最近版本而酌情修訂，此外不作任何改動。

◇ 文章先後按發表日期為序。

◇ 所用文字和標點符號明確有誤的，逕行更改。書名號悉據原樣，不統一為魚尾號，唯同字異體則於集內統一。

◇「證」中引錄文字多有刪節，唯不一定標以刪節號，以便省覽。

◇「證」中引錄的新聞報道，一九九〇年以前的，大都可從香港公共圖書館多媒體資訊系統的數碼館藏「香港舊報紙」中搜尋讀取。

前言

三聯書店（香港）希望能給盧瑋鑾先生出一部選集，盧先生把這工作交托給我。

盧先生的文章，早有不同的結集和選本，有主題集中的，如《豐子愷漫畫選繹》、《路上談》、《香港文學散步》、《夜讀閃念》、《一瓦之緣》等，有雜糅綜合的，如《承教小記》、《彤雲箋》、《不遷》、《縴夫的腳步》等。晚近（其實已是六年前了）黃念欣編選的《翠拂行人首》，照拂周及，允為全面。由我來選，盧先生說，看看年紀大一點的會不會有不同的選法。

我嘗說，與盧先生是同代人。誠然，先生長我十多年，是我的長輩，但她公開發表作品的一九五七年，正是我學語初畢，騎著木馬在母親身旁大唱兒歌的歲月，她文章中表述的那個世界，尤其是灣仔，於我並不陌生（我也是在灣仔長大，到婚後才遷入沙田）。曾和先生討論她在《曲水回眸》中提到的「炸豬油」，應是「炸」還是「榨」，然而炸也好榨也好，「七十後」恐都不明所以了。先生文章情真意切，那溫厚的情愫，也是我等在紛擾的世途上踽步走來所至為熟悉者。我讀古人書，有感於其嘉言懿行，只能想見其為人，馳思慕於千載，得與先生同代，耳聞目睹她的行事待人，無疑是一種幸運。

古人說，讀其書，不知其人，可乎？是以論其世也。一般的理解，是要了解一個人的作品，不可不知他的為人，而要認識一個人，可得同時認識他所處的時代。那是孟子的話。其先，孔子說，托之空言，不如載之行事之深切著明也。說的是與其以空泛的言詞褒貶是非，不如借人之行事以見善惡來得實在。是以孔子著《春秋》。統言之，一個人的作品，會得受時代的影響，也反過來，反映時代的特色和特質，是一個人與乎一個時代的真實紀錄。

由一九五七年（那年她讀中三）起，盧先生寫作不輟，至今垂六十二年，超過了半個世紀乃至一個甲子，尤其是一九七四年至一九九九年在《星島日報》，二〇〇五年至二〇一四年在《明報》，有三十多年大致定期在報紙撰寫專欄，其積也不可謂不厚，本集所收，也大部分是這些專欄文字。香港的報章專欄，以其方正平整，天天如是，或譏為豆腐乾文字。先生的方塊文章，自有她的書寫策略。要之，是語言平近而不流俗，內容緊貼生活而另開天地。遍觀先生歷年所寫，彰彰甚明的是香港與內地的重要事件，關乎民生民瘼的，她都有即時的反應，但總會提出她獨特的觀點和意見。這些文字，從不托之空言，徒生議論，而是以事件與人物串連，讀這些文字，恍若重溫六十年來的風雲風雨，其中既見作者為人行事的信與守，也見本土國土的變與恆，據之，知其人而論其世可也。那麼，按年編選應是前選未曾做而值得我們嘗試的做法。

這裡可以拉魯迅來張本，《且介亭雜文・序言》說：「分類有益於揣摩文章，編年有利於明白時勢，倘要知人論世，是非看編年的文集不可的。」按上文下理，魯迅的意思是「雜文」乃古已有之，不是時人所指的不過是一種投機取巧的手段。他說編年「不管文體，各種都夾在一處」，那就是「雜文」啦。魯迅真是！有點偷換概念，但且不管他。其實，要知人論世，不一定非看編年文集不可，只是編年方便我們瀏覽時間之流，是真正的長卷，讓我們看到人與事的發展和轉折。按年細閱，也可比較清楚看到作者風格的開展和變化，比如盧先生寫「七好文集」和她後來寫「一瞥心思」，便有不同的寫法。讀者也可以看出，先生的確很「雜」，同一時間，她會做許多不同的事，有許多不同的興趣。無論如何，感謝魯迅。

商討文集出版時，三聯副總編李安問我，文集會有多少字，我不假思索，衝口而出說三十萬吧。三十萬，對我來說已是很多字數了。可只要我腦筋靈活點，就不難想到，盧先生寫文五六十年，每年一萬，都有六十萬，而有三四十年，先生豈止一年萬字？這些年來先生所寫，應逾百萬，本集所收不及全數一半甚至三分之一，是受篇幅限制，不得不有所割愛。沒有選入的，包括先生給他人所寫的序跋（但若其中述及先生生平細節則當別論）、學術性文章、對談、聯名合寫的作品。各篇文字不作刪節，只有〈造磚者言〉一篇例外，只選錄了緒言和結語，略去了中間的技術性說明部分。應該沒有遺漏的，是悼念文字，前紐約州州長朱利亞尼說，婚宴他不一定參加，喪禮卻一定出席。在現實中我並不認為這是至理明言，編選本集時則奉為圭臬。盧先生的追念文章，因應所悼者的身份而有不同的抒懷，或濃烈或幽深，是理見乎情的最好示例。她所悼念的，也都是本地文化、文學卓有貢獻的人物，有些人的名字，先生不提，恐將湮沒無聞了。

因是編年，我們錄取了盧先生最早期的文字，《中國學生周報》時期前的幾篇，特別值得注意。這些文章只有〈夢幻的樂園〉一篇以附錄形式收進《曲水回眸》上冊，其餘未見他集收錄，從這些作品可見，三年級定八十，先生的志向，早有明確的目標。一九六八年一篇〈為中文教育提供一點精神和方法〉，揭櫫赤鬍子精神，標榜愛的化育，容或托之空言，但她以四十年的行事，通過實踐證明其理論之可行，化雨之功，何其深切而著明。

選編以外，我們還做了「參證」的工夫，以期加強讀者對其人其世的認知。「參」主要是以盧先生自己的說話和文字，或其他未能收入本集的文章內容，闡釋她的意念，提供更多對同一主題的論述、補充或參照。「證」是搜尋並臚列文章背景資料，以助特別是比較年輕的讀者了解一些年日久遠的新聞或事件，以見文章指陳所本和所自。

本集選目和參證資料，盧先生不加干預，也未事先過目，只是一九六七年的〈傻瓜的夢〉，似有現實根據，但遍尋各種訪問，都沒提過在一九七一年任教嘉諾撒夜校前的教學經驗，又忽略了許多年後她對新亞夜校的憶述，才用電郵向先生深詢並得她回覆。因此，本集必然的疏漏錯失，只能是編者個人的責任。

編選工作令我們益信，盧先生是天生的資料搜集者，由最初的文章起，歷年專欄和發表過的文字，都完整和有系統的剪存，令我們的工作相對輕鬆。李薇婷的「益晒你」試算表編列了先生作品篇目、年日和出處，加上由她保存的小思資料檔，更是我們的救生圈，讓我們在先生文字海洋中不致沒頂並游向明確的浮標。三聯編輯部同事和盧先生的學生和朋友都給予及時和適切的幫助，他們包括但不限於李安、周怡玲、李嘉敏、蘇偉柟、熊志琴、朱楚真、曾少蓮，還有朱彥容，盧先生叫她在編選上提供意見，但她堅持不放於編輯名單。

許迪鏘

二〇一九年五月二十二日

附記：

在編選盧先生文集的同時，我也在協助她進行《葉靈鳳日記》的後期製作，這是她晚近工作的重中之重。盧先生和張詠梅老師為日記做了翔實探微、扼要勾玄的注和箋。這才發覺，我做的參證，與日記的注箋若相款通。我的構思雖在接手日記工作之前擬定，但讀了兩位老師孜孜不懈於茲，我益信自己所做，還不至於畫蛇添足。

❖ **證**

我說書稿中交代老師慨贈材料的片段在付印前會先給老師過目，老師說：「唔好畀我睇喇，你哋做嘢唔好成日就住就住，自由發揮就得㗎喇。」

——朱少璋〈小思老師和疏乎厘〉，見羅國洪、朱少璋編《香港・人》，香港：匯智出版有限公司，二〇一八年。

目錄

一九五七 ❖ 一九五九

一九五七年

夢幻的樂園

楔子

在現實的環境裡，卻替自己創造了一個夢幻的樂園，在那裡，我可無拘束地抒發一下，可找尋失去或得不到的東西，更可尋到天真的氣息。「人是離不開現實的。」我承認這句話，但在更深人靜的時候，我的思想，倒可以擺脫了這殘酷的現實，自由地去找些趣味。因此，每夜裡，我曾經流連在自己的樂園中，創出了不少自以為不平凡的平凡故事，和許多荒誕無稽的笑話，但，不論怎樣，我是那樂園的主宰，我從那裡得到了安慰，唇上更會掛著微笑。也許，你曾笑我是個傻子，在欺騙自己，不過，你要知道，只有深夜裡的我，才屬於我自己的，而且現實的洪流永不能沖走我這夢幻的樂園，如果有人稱我做「傻瓜」，我也願意接受。

星星的話

迷糊間，我飄然地離開了，那不見天日的混濁境界，坐著輕雲，浮游在清曦無邊的原野上空，這一個似曾相識的地方，使我心中有些迷惘。地上那些奇異的嬌嫩花兒，吹送陣陣幽香；青青的仙草，為我鋪陳了絲絨般的睡榻；我熟悉地臥下去，放縱地在上面打滾，打滾；更盡情地大笑，大笑……驀地，我靜止下來，仰視著在我頭上的一片深藍色，更嵌有一顆顆閃耀的星星，我的感情受了激動，低聲的喚道：「星兒呀，我終於找到妳了，可幸妳依然無恙。不要以為我忘記妳，只為那混濁的境界阻隔著我，使我無從擺脫；恐怕久別的我，也染上了幾分濁氣，更怕使妳的銀光沾著它。」突然，所有的星，集成一團銀霧，漸漸清晰、清晰，移近眼前，像一張溫和笑臉，又像一張莊重而天真的面孔，溫柔地向我點點頭，「朋友呀！謝謝你的愛護，更高興見到你，不過，你真的改變了不少。別以為是甚麼污濁環境困擾你，而使你改變，而是你自己的思想改變，只要有堅強的意志，甚麼濁氣也不能沾染你、俘虜你。現在的你，已給自卑、懦弱及矛盾所籠罩著。朋友，醒來吧，不要再怨恨環境，小心尋回你自己。我願伴著你去找，但願我那絲銀光，使你看得清楚些。」我從燦爛的銀光中，清醒過來，決意找尋真正的自己。

和平的小麻雀

在一個狂風暴雨的黃昏，雨吞噬了大地，風玩弄著所有生物，死物。有一隻離群的小麻雀，在矮林中亂闖，希望逃過這一場無情的風雨。突然，在迷漾的雨幕裡，浮現了一個恐怖的魔影，正窺視這無知的小鳥，「拍」！他雙手一動，那小鳥便像觸電似的墮下來。魔影得意的移近，對小鳥瞟了一眼，便帶著瘋狂殘忍的笑聲，漸漸在雨幕上消失。我——這個忍受著雨狂風暴而踱步的傻瓜，發現了那隻呻吟的小麻雀，便拾起來，呀！我的手沾著一絲溫氣。「還沒有死去！」我告訴我自己。我小心地替牠抹去羽毛上的水點。當我看見牠從羽毛間沁出一斑斑的血絲，我不禁低下頭來。一會兒，牠蘇醒了，用低微的聲音對我說：「朋友，請帶我回家吧！如果你願意，可暫變成一隻小麻雀，一同回到我們的王國裡……」好奇心驅使我點頭，立刻，我的身體縮小，縮小……直至變成了一隻小鳥。我自然拍起翅膀，和那曾受創的小麻雀，慢慢地穿過那迷濛的雨幕，仔細找尋自己應走的路。不久，我們到了，我只看見千千萬萬的麻雀，奇怪地盯著我，有些更交頭接耳在討論我。我走近一隻老麻雀面前，牠有禮地點點頭，說道，「朋友，謝謝你，把我們的王子救回來，全國的人民，都感到慶幸，也對你敬重，朋友，你願意參觀一下我們的領域嗎？」我同意了，但突有所感的對牠說：「你們有這麼力量，為甚麼不去復仇，我願意領你們去，找尋那殘酷的魔影。」老麻雀安詳地笑了一笑：「朋友，對你的心意，極之感激，不過，我們是從不戰爭的。人類曾傷殘我們不少人民，但，我們都在忍受，我們只顧逃避牠們的摧殘，事事都自己小心便算了。而且，一場戰爭的死傷恐怕比多年來給牠們殘殺的數目多！唉，我們怎能鬥得過牠們。我們的復仇心理，已在很久以前死掉了，請不要再提！」我聽完了，慚愧籠罩著我整個心扉，我黯然離開牠們。對不起，麻雀們，我褻瀆了你們，更為被人們殘殺的犧牲者默禱。我仍躑躅在迷濛的雨幕裡。我仍然慚愧不安——因為我是人類。

——刊一九五七年六月二十二日《青年樂園》36期，作者署名夏颸。這是作者首次公開發表作品。

參

❖ 小思：五十年代，《青年樂園》便刊載了我的一篇文章，現在回看也不像是中二、中三時能寫出來的作品，那是我人生中最危險的青年期寫照，父母雙亡後，才會寫得那麼悲哀，但這不算是創作，只是習作。

——《曲水回眸——小思訪談錄・下》，香港：啟思出版社，二〇一七年，頁十四。

證

❖ 《青年樂園》又名《青樂》，是香港的一份周報，創刊於一九五六年四月，在「六七暴動」期間被英國當局控以煽動罪，勒令於一九六七年十一月停刊，共出版十一年半。

——梁慕嫻：〈我所知道的《青年樂園》〉，見二〇一八年五月號《明報月刊》。

❖ 颸，是微風的意思；夏天的微風，令人感覺舒服。夏颸，是盧瑋鑾中學時期的筆名。直至她為中國學生周報寫專欄的時候，執字粒的工人來電，說字粒房沒有「颸」這個字；小思說當年他們一群從事寫作的朋友，全都以小字起首，再配上單字以成筆名；由於夏字筆劃多，颸字亦難寫，她想到不如簡單一點，就叫「小思」。真名的筆劃多，這筆名的好處是筆劃少，簽名也較方便。此外，她形容自己身軀瘦小、腦袋細小，跟小思這名字亦十分匹配。結果，小思這名字一直沿用至今。

——長者安居協會《長訊》二〇一一年七月37期，人物專訪：〈愛的奉獻　盧瑋鑾〉。

一九五九年

略論宗教與人生

◇就讀金文泰中學中五

人類為了在日常生活和物質的需求外，還需要一種作為精神寄托的信仰；於是：各種不同的宗教便因此而產生了。

最初的宗教，不過是人類對於自然界一切事物的最初認識，他們信奉萬物，如天、日、水、火及一切益獸等，為最高的主宰，因為那些東西，都和他們日常生活有密切的關係，而且足以影響他們的生活安寧與豐裕，於是他們便對那些東西尊敬起來，祈求賜予安寧和豐裕，這就是宗教最初對人生的影響了。

由於人類逐漸進步，對於萬物有了更深的認識，其中很多還給人類的智慧所控制，這樣，無形中便減低人類對他們的敬意，而且信念也因而消失。不過，人類依然需要信仰的，於是一些聰明的人們，便依著人類善惡的本性與行為，創出許多規則、信條和人生哲理來，又把這些東西依附在一些幻想的、虛無的，更具有無上權力的「神」身上，令到人類由於敬奉那些「神」，而去信奉那些規則和信條，來加強規條的力量。那些「神」便成為各種宗教的主宰，而人類更不斷向那些虛渺的「神」來追求更理想的物質與精神生活了。

人類智慧的增廣，淘汰了世界上不少的事物，甚至宗教有些也在被淘汰之列，直至現在，經過改良而成為宗教權威的有：佛教、天主教、基督教、回教等。它們雖然在表面和信奉的規條內，都有很大的分別，但它們最終的目的，卻逃不出勸人為善的範圍。

大概而論，各種宗教都有令人值得信奉的地方，假如人是真正信仰某一宗教時，他就會跟著教義所示，去改進自己的心性，改善個人，間接即可改善社會而還可把心中的憂苦，訴於冥冥的主宰，這可使人得到些解脫。更由於他們相信神是存在於任何空間的，隨時可知道自己的一切行為，因此，便會減少罪惡的企圖和行動，以上都可以說是宗教對人生的優越影響。

但事物是沒有絕對的，那麼宗教也難免有些人為的缺點了。待我站在無宗教立場來作些客觀批評一下罷！許多宗教會為了鞏固本教的實力，便極力排擠外教，這就不免養成人類之間有成見，許多糾紛就從此產生了。有些宗教為了要擁有更多的信徒，便有信我教，便得到永生的口號，不論是真是假，不論是對肉體或靈魂，但總不免有些賄賂的成分，即是只要信神，不論你為善為惡，也能得到好結果的，那麼似乎失卻宗教的原有意義。有些宗教卻弄出許多崇拜儀式來，使人費時失事，或浪費金錢去遵守（這也許是有些人從中漁利），這也是缺點。還有些缺點——尤其是在香港，有些竟有以信仰某種宗教為時尚的暗中趨向，他們根本就不知道甚麼是教義的。

現在讓我重申一次自己的意見吧，我認為各種宗教的出發點和目的都是好的，但可惜有時會操縱在狡猾而有智慧的人手中，便染上一些人為的污點。不過，宗教依然在人類生活中，有相當重要的地位，神勸人為善的目的大部分還沒有失卻。我們不論信奉任何宗教，只要自己把教義融會貫通，認清好壞，然後實踐，那麼就是一個好信徒，也是一個能影響人生很大的信念。

我更希望以後各派宗教，再不會排擠別教，同以導人為善作目標，以求達至改善世界人類道德，和善性的境地，完成宗教對人生的真義。

——刊一九五九年四月二十二日《華僑日報·學生園地》，作者署名金文泰　冷齋。

❖ 參

人類生存於世界中，必會有與下列三種關係接觸，一是人與人之間的關係，二是人與自然的關係，三是人與內心之間的關係。最初的人類，首先與他人接觸，成為一群體生活於荒茫天地之間。而就在此時，人類同時與自然發生了關係，因為，他們居立於地上，取得食物及與他種生物爭鬥於地上，他們抬起頭來望天，風雨雷電來自天上，天有寒暖變化，原始人相對於這種種不可解釋及不可思議的自然現象，而又可直接影響他們生活安寧的力量，不期然發生一種敬畏，這種人類對天地畏敬的情操，很快地成了一種宗教性的信仰。

——盧瑋鑾〈儒道墨言天之比較〉，見一九六六年羅富國師範學院校刊。

一九六三 ❖ 一九六九

一九六三年

熱與驪歌

◇就讀香港中文大學新亞書院中文系三年級
◇在《中國學生周報》撰「一月行」專欄

該是下午三點鐘了吧！太陽熱烘烘的。碼頭前面堆滿了人。行李、貨車、沙塵、噪音……我從沒覺得香港是那麼熱的。拭著汗、站在一個屋簷下，真不想動。但送行的人們，卻仍談得起勁：「到埗就快點寫信回家啦！」「獨個兒千萬別亂闖呀！」一堆堆的聲音，很不客氣地擁入耳裡。我沒有人送行，但一點不寂寞。（倒有點懷疑）。本來嘛，我早就想試試冷清清的，獨個兒離開香港的滋味……但，唉，倒霉。

很容易才等到可以進船艙的時候，自己拿著那不大不小的行李、一拐一拐地走過狹得可憐的樓梯，找到自己睡的艙位。那兒擠著百多人，卻只有幾十個小得像茶杯口的通風道，人氣和熱氣迫得我有點暈眩，趕快跑上船面去，大大的呼吸了一陣，就好像從來沒有機會呼吸過的樣子。我站在舷邊，皺著眉，心中想：「今天晚上如何睡得？」又自慰著：「太陽下了，海洋會涼快點，一定可以睡得很舒服的。」

剛好五點鐘，四川輪鳴著號，解了纜，漸漸移離那還堆著許多人的碼頭。一條條手臂在揮動著——送行場面必備的東西。有人還灑著淚。我不明白，離開短短一個月要灑淚，那若要離開四五年，或十年八年，恐怕淚水多得可以淹死人了。船漸漸地移，經過中環、灣仔、銅鑼灣、北角（心中稍稍一動）……出了鯉魚門，向外邊駛去。我一直站在右舷邊，沒有甚麼感覺，一點不像離開香港。幾次我自己問著：「我是離開香港了嗎？」奇怪，有時只是一個小小旅行，我會急得直像鍋中螞蟻地等天亮，怎會？離開香港我會毫無感覺？（雖然我一直就不大愛它。）船一直向外邊駛。我們為辦理登記手續，忙了一下子，跟著就在船上吃第一頓飯。但就在這時候，有人開始「吐」的工作了。吃「暈浪丸」比吃飯還熱烈。的確有點兒浪，但實在也不算太厲害。如果遇上颶風，才真要吐呢！晚飯以後，我們還不敢下艙去，都坐在船面聊天。到這時候，才真正靜下來，看看海洋，看看天，領略領略海上生活（相信吐的人比我領略得更多）。海風從船面帶走了熱，也帶走了驪歌，靜靜的。

——刊一九六三年十一月十五日《中國學生周報》591期第三版「生活與思想」，為「一月行」專欄首篇，作者署名「新亞書院．小思」。「一月行」是作者第一個報刊專欄，先後共刊出十一篇。

參

❖ 從本期起，我們連載中文大學新亞書院小思同學的一篇遊記。作者去年曾赴台觀光，本文記述她在途中所見、所聞、所想的一切。每當提起祖國，我們不禁泫然淚下。家鄉是我們夢魂繚繞的地方。在香港，回鄉記、歸國記等等在報章上出現過不少了，但它們大多被用來替某一方面宣傳。一個在香港長大，在香港讀書的普通青年，回到台灣，回到自由祖國，他（她）們的感覺怎樣呢？請聽聽小思同學怎麼說吧。

——〈編者的話〉，見同期同版。

❖ 六十年代中國尚未開放，她唸大學一年級時，首次出外旅遊的地點就選了台灣。「那時台灣招待外來大學生，不須花多少錢就可以去觀光一個月，我們當然很高興。我跟同學坐一條四川輪船去，辛苦到不得了，像走難一樣。剛巧那年有很多從中國逃難南來的人，由於台灣肯接收他們，就跟我們同坐一條船，台灣官員就在船上教他們唱中華民國國歌，他們唱到天一半地一半。……我心中仍有一套唐詩宋詞裡的中國。當我到達台灣一作比較時，心中就產生了好大衝擊，去到一個叫澄清湖的地方，就會想起中國的西湖，其實這樣比較是不公平的。」

——張麗瑜〈小思：街角風流〉，見二〇〇〇年二月十一日《香港經濟日報》C1。

❖《中國學生周報》，創刊於一九五二年七月廿五日，至一九七四年七月廿日停刊，由友聯出版社出版，歷時廿二載，是香港五、六十年代一份廣受歡迎之青年綜合刊物，並且為香港培育許多出色的作家及文化人。《中國學生周報》以中學生、大專生及青少年為主要對象，風格平實而多元化，除了「讀書研究」、「生活與思想」版外，亦有文藝創作版、「電影」、「快活谷」、「藝叢」等版面。其文化教育使命感及兼容並蓄之態度，於許多香港人心中留下深刻印象。

——「新聞發布」（香港中文大學大學圖書館系統《中國學生周報》（網上版）新聞發布會），網上讀取：http://www.cuhk.edu.hk/cpr/pressrelease/030721(2).htm

❖ **證**

一九六二年五月七日《工商日報》頁七：〈新亞東亞兩院學生　暑假組團回國觀光〉，內文報道：「新亞書院商學院同學以讀書與旅行應兩者並重，不可偏廢，藉廣見聞，特擬乘暑假之暇，赴自由祖國台灣，作為期一月之旅行，從事考察教育、文化及參觀偉大工業建設，歡迎全校各系同學踴躍參加。聞自由祖國有關機構，屆時將派專員引導，並照料膳宿各項云。」

新亞東亞兩院學生
暑假組團回國觀光

【本港訊】新亞書院商學院同學以讀書與旅行應兩者並重，不可偏廢，藉廣見聞，特擬乘暑假之暇，赴自由祖國台灣，作為期一月之旅行，從事考察教育、文化及參觀偉大工業建設，歡迎全校各系同學踴躍參加，現已成立籌備委員會，加緊進行有關工作。

另訊：東亞書院各系同學會，及應屆畢業生，擬乘暑假期間，組織回自由祖國觀光團，除參觀台灣各大學教育設施，及各項偉大建設外，並遊覽日月潭各名勝風景區，現推選同學會主席歸國鵬，主任文逸冰等負責籌備，聞自由祖國有關機構，屆時將派專員引導，並照料膳宿各項云。（詠）

一九六三年

國歌白雲與國土

翌晨我起得很遲，恐怕有九點多鐘了。早餐的時間早過去。醒來聽到一陣陣「國歌」，很生硬地有人唱著。沒有聽見它很多日子了，裡邊的字也忘記一大半。在香港的中國人，唱不出國歌來，似乎已經是天公道地的事。難得的是我們竟很自然的忘記了，沒有甚麼壓力、也沒有強迫洗腦，好像是我們自動要忘記了，這才是可怕，這忘記才是徹底呢！爬起來，做過象徵式的洗漱工作，趕快走上船面（醒著的人根本就沒辦法留在艙裡）。許多人正在寫家書。在船面中央，原來有一批從大陸逃港而轉至台灣的人（他們被稱為難胞或忠貞之士，我不想如此稱他們），正在那兒練習著沒唱十多年的國歌。他們拉著聲音唱呀唱呀，不知他們心裡有甚麼感覺。看見他們男的、女的、老的、幼的，一副副曾經憂患的面孔，沒甚麼表情，他們應有甚麼感覺呢？是回到祖國的喜悅和興奮？不是，因為他們正離開了自己的家鄉和國土，到一個陌生的國度去。是脫離苦難及重獲自由的歡欣？他們能擔保真的脫離了苦難麼？自由是不是屬於他們，還是明天的事。但無論如何，他們離鄉別井，骨肉分離卻是事實；而吃得飽，穿得夠又是事實。你說，他們應有些甚麼表情和感覺，我不懂得！心中實在不好過，只好轉到左舷去，也有些同學坐在那兒寫信。有點涼意，有些人都穿上毛衣。遠遠的望去，白雲一堆堆，很低很低地壓在海上。隱隱還可以見到雲堆裡有些陸地，那應是中國大陸了。現在的我，正面對著祖國的山河，聽著國歌，但卻是到另外一個「祖國」去。就在那遠遠的白雲堆中，正是我從未見過的國土所在！在那兒，有著古樸的鄉村（恐怕現在已頹廢了不少），有著雄偉的青山，蜿蜒千里的江河，有著正在苦難中的同胞，這都是我所懷念的。甚麼日子？我可以到那兒去。但願青山長存，江河永流，經過苦難的同胞重新獲得安快，啊！那些日子呀？我要等到甚麼時候？讓我在死之前，做個真正的中國人！但，現在我能做些甚麼？「等待」是特別易使人衰老的。

船正向前駛著。一會兒，連隱隱的陸地也看不見了，整個環境就只是天和海。

——刊一九六三年十一月二十二日《中國學生周報》592期第三版「生活與思想」「一月行」專欄。

一九六三年

一切在夢裡

對於首次出門的人，海關檢查算件最麻煩的事。幸而，這次卻沒有我想像裡那麼可怕，回國觀光嘛！應給我們第一次「光」的印象。例行手續完了，我在等其他的同學，心中總是迷惘一片。

在遊覽車上，我發覺自己像在夢裡。疏落的矮屋、牛拖的車子、帶尖頂草帽的農人、八堵隧道……一下子都迎上面來，匆匆又過去了。我的思想像凝住了，只有異常的沉默。

一個國際城市側影在我身邊掠過後，便到達暫作居停的地方——專為僑胞回國觀光居住而設的僑園；像在夢裡似的，我做過安頓工作，吃完第一頓午飯。

午後，我們成群到台北市去（僑園離台北市約四十五分車程），那兒沒有見慣的大廈，最普遍是二層高的樓房，那座七八層高的酒店算是最威風的了。看來總像個村姑開始學打扮的模樣。但它有頂寬闊的馬路，和令我們手忙腳亂的交通。右上左落的汽車，曾使我們困在路中央。我們帶著一面尷尬接受人家鳴笛敬禮。不受交通燈及路線限制的單車，曾使我們步步虛驚。（台北單車多得很，原來他們的習慣是由單車避人，我們卻去避單車，把人家的原則破壞了，還得說聲對不起！）我們要多少時候，才學會只管眼睛一閉，邁步跨過馬路去，（千萬別在半途開了眼睛，因為當你發現許多許多飛馳中的單車，忽然全停在你前後左右，你準會被嚇壞——從此不敢過馬路。）我們走來走去還是在西門町，這就是台北最繁盛的區域，宛如九龍的旺角和香港的銅鑼灣。不分好歹的喝過著名的酸梅湯，也吃過西瓜大王的又大又紅的鮮西瓜。（這店子只賣西瓜，一個個西瓜從樓下排到樓上去，真有趣！）為了應付我那對老不肯爽爽快快跟我一起走的「懶鞋」，買了一雙新鞋（算不算愛用國貨？）。糟了，轉過兩個彎，竟找不著回到車站的路，得勞動我們「動聽」的國語去請教別人；等人家詳詳細細說了一番，我們卻不懂……像在夢裡，回到僑園。

第一次踏上國土——一切在夢裡！

——刊一九六三年十二月六日《中國學生周報》594期第三版「生活與思想」「一月行」專欄。

觀光的開始

當活動日程表發下來後，便開始了一連串在台北範圍內的拜會和參觀。觀光嘛！當然盡量把「光」露出來，我們是非觀不可的。

在僑務委員會會所裡，等上差不多三十分鐘，才拜會了那個很威風的負責人（至少他的下屬使他顯得十分威風）。在中央委員會，我們有機會坐在國民黨一切要員每星期都在決定國家大計的會議室裡。據說我們正團長坐著的椅子，正是總統經常坐的（他該有點受寵若驚了）。而我們坐的呢，起碼也是院長，部長或將軍所能坐的位置。有些同學還用那裡的專用稿箋呢！

在國立科學館，我們看到了天上每顆星星的位置，聽到了有關它們的故事和特色。真希望香港也有那麼一所星辰室。在歷史博物館裡，可以看見一兩千年前的古物：殷商時代的甲骨，周朝的器皿，……每件東西都經歷了許多個朝代的興亡。它們身上帶著中華民族悠長而光榮的歷史，安詳地躺在玻璃櫃裡，使去參觀的人，可以從「過去的光榮」中，尋求自尊的滿足！

在國防醫學院裡，看到浸在藥水缸中、使好些同學當天吃不下飯和睡得不穩的東西——屍體。但最使我難忘的，是那位帶我們參觀的負責人的幾句話。他說：「我們這兒沒有標語。標語有兩種反作用，例如『不可隨地吐痰』，有了這標語，即是告訴別人：這地方的人必是習慣隨地吐痰的。還有，本來不想吐痰的人，見了牌子，心理作用，自然地喉頭一癢，痰便吐出來。所以，個人的自制與自動的明白了『隨地吐痰』是不好的行為，才是重要的……」這段話立即使我記起：台灣不是到處都有標語的嗎？

一連幾天參觀所得印象，就是到處都很大，使人走得倦壞了。看！榮民醫院——大；台灣大學——大；陽明山（我們去得不合時，沒看到櫻花）——大！只是這個條件，已經把我們這幾個從未離開香港的人「鎮壓」住了！不知道為甚麼？在台灣的日子，比在香港更易使我想起大陸。連續不停的奔跑使我疲倦。不斷泛起的懷念使我疲倦。但，這只是開始，以後使我疲倦的日子還多著呢！

——刊一九六三年十二月十三日《中國學生周報》595期第三版「生活與思想」「一月行」專欄。

一九六三年

哦！這是民主

在台中大度山上，有一塊佔地三百四十多英畝的好地方。那兒有小苑樓閣、有曲徑迴廊。夾在無際草茵的條條小道，帶我們進入座座古色古香的建築裡。這是東海大學。它清雅的氣象，宛如朵白蓮花，拂淨了我心裡的倦塵。在那兒，我們結識了朋友，短短的半小時中，實在沒法把要談的談完。可是，我們都全心全意地珍惜這次機緣。偶然碰面，匆匆又分離了。也許，以後沒有再見的機會，但還要求甚麼呢？畢竟我們在人生一瞬裡認識了，這就應鏤在心上。他們送我們到大路口，雖然是笑著道別，但都有一片惘然的感覺。我最怕「匆匆」，而偏偏就遇上了無數的「匆匆」。

帶著那片惘然，我們要去故宮博物館。我一直以為它是很大的，可是，它小得出乎意外。陳列的東西是分批按期換上。為了趕時間，我根本沒細細欣賞一番。這次旅行最煞風景的，就是那預定好的時間表。為了配合它，往往是好看的一眼還未看完，便要難捨難離地走了。不好看的卻要咬緊牙根把時間捱過去。我們屢向團長訴苦。他也只搖搖頭說：「沒辦法，這不是我的意思呀！」

匆忙離開了充滿歷史氣息的博物館，為的是要趕去看最足代表現代民主氣息的省議會。這個地方可分成兩部分，一個是有小湖拱橋、花草樹木的庭園。遊人隊隊，活像個甚麼勝地！（也許正是一塊勝地！）另一個就是莊莊嚴嚴的議會，單看裡面那些最合格的議會設備，就使人肅然起敬。（據說它的設備和美國議會差不多，規模是小些，但仍稱得上「麻雀雖小，五臟俱全」。）可是，這省議會所議的絕不是國家行政大計，而是「議決人民權利義務之省單行規章」，「建議省政興革事項」等等。這便解答了多年來悶在我心裡的一個疑問：好幾年前，在報章上看到有位台灣議員，提議全省的酒樓侍女，一律要穿上制服工作。我感到奇怪，堂堂正正的議會裡，要解決和討論的國家大事多著，怎會提起這些小事來？現在我明白了，大概這提議是屬於「省政興革事項」中一類吧！剛巧碰上是會期，我們可以在樓上「參觀席」上參觀會議過程。從來沒有到過議會的經驗，我們顯得有點緊張，正襟危坐的不作一聲。會議開始了，有人站在主席台上致詞（他大概是議長吧！）但台下一位女議員談話聲和他的聲音打成一片。驀然，參觀席背後的大門打開，進來了兩個小孩子，坐在我們前面。一會兒，又有一個成人進來；再過兩分鐘，是我們二十多人一個個的走出去。如此這般，獲得十分鐘「民主」議會的經驗。這是「民主」麼？大概是吧！也應鏤在心上。

——刊一九六三年十二月二十七日《中國學生周報》597 期第三版「生活與思想」「一月行」專欄。

◇畢業於香港中文大學新亞書院中文系

一九六四年

湖光山色不勝悲

三個多鐘頭車程帶我們進入南投縣，天正下著微雨，有點兒涼意，但每人都提起精神，為的是嚮往已久的日月潭愈來愈近了。

海拔七百多公尺，蒼勁的山，一疊又一疊。暮雲細雨，使較遠的山隱隱約約，幽怨無語倚在天邊。近處的山蒼綠而懷著悲傷意緒。這才是山啊！幾乎注定「嵌」在香港的我，差點被它們的氣勢「壓」死了！繞過一個山腰，淡灰帶藍的日月潭出現。那時正是黃昏，又下著雨，第一眼看見它，它就直像正在哭泣的樣子，惹得我滿心惆悵。一開始就如此不開心，真有點莫名其妙。我們住的地方面對著潭，又不太日本化，應稱得上滿意。

晚飯後，外邊還下著雨，看來會糟蹋了欣賞平湖朗月的機會。但終於我們還是穿起雨衣到外邊走走，沿著潭邊慢慢地踱。後來，雨竟然停了，連月亮也在微雲裡露了面，淡淡的照著彷彿哭倦而入睡的湖山。遠處傳來一陣簫聲，宛如大地也在嗚咽。我坐在破渡頭上，凝視著，沉默了！不想甚麼！也再沒甚麼可想的了。這樣的周遭，這樣的莫名悵意，是我從沒有過的。

第二天早晨，陽光很猛，加上火雞的叫聲使我們起得特別早。（第一次聽到火雞叫聲，怪難聽的！）日月潭毫無保留地呈現，湖山像在冥想！可是，時時被遊湖的汽船馬達聲擾亂。這個時光，最好小舟一泛，欸乃輕搖。想是如此想，但我們也不例外，要乘著那有討厭馬達聲的汽船「擾」湖去了。船使我們和遠山的倒影接近，一切風光，都是使人傾心的。

在潭的另一岸，我們要爬上三百六十五級的「登天路」，它實在太陡，也太高了。到達頂端時，我連氣也透不過來，差點暈倒。（身體不好，真是甚麼都做不來。）從那兒可以看到更遠更遠的山。最煞風景的是那個躺在潭中央的光華島，上面的樹木都經過細意修飾，活像一個低能理髮匠的傑作，獃頭獃腦令人生氣。

那山腰上有一所文武廟，裡面奉著生於天下三分時代的關羽，和棲棲遑遑想救末世的孔子。不知他倆在那兒有多少時候？對著湖山，已是無言。「這兒像不像西湖？」不知是誰在問。沒人回答！我只記起一首詩：

山木蕭蕭風更吹　兩崖波浪至今悲
一聲望帝啼荒殿　十載愁人拜古祠
海水有門分上下　江山無地限華夷
停舟我亦艱難日　愧向蒼苔讀舊碑

——刊一九六四年一月三日《中國學生周報》598 期第三版「生活與思想」「一月行」專欄。

❖ 證

文末引詩出自陳恭尹〈崖門謁三忠祠〉。三忠，指文天祥、陸秀夫和張世傑。陳恭尹，字元孝，號半峰，晚號獨漉，廣東順德人，與屈大均、梁佩蘭並稱「嶺南三家」，著有《獨漉堂集》。恭尹父陳邦彥抗清殉難，恭尹曾任職南明，入清後隱居不仕。

一九六四年

莫把斯湖當西湖

我讀過不少關於西湖柳岸的形容，也嘗試過於幻想中在柳堤漫步。可是，我不能肯定它與真實的距離有多遠。大貝湖！大貝湖的柳岸，使我在匆匆中好幾次放慢了腳步，好幾次惘然回顧！我不知道它似不似西湖，但我知道它有意裝成西湖模樣。本來它是一個工業給水廠，據說它有先天條件，便被人加上附帶的任務——觀光事業。在七公里的湖邊，插上了大貝湖八景。甚麼蓬島湧金，甚麼柳岸觀蓮，都足使沒去過西湖的人可以模糊間看見西湖的影子，使曾到西湖的人於聊勝於無的情況下，帶著淚去重溫舊夢。在一棵柳樹下，有這麼兩句話：「清風吹得遊人醉，莫把斯湖當西湖」。多少憔悴江南倦客，在飄雨清晨、斜陽殘暮的時分，走過這柳岸灑下思鄉之淚。「莫把斯湖當西湖」是何等淒酸？是何等落寞？有時我會很慶幸自己生長在香港，因為至少可以不必負上回憶與眷戀故土的一份情懷！

十多年來，拋家去國的人都漸漸老了。白髮愈來愈多，重返家園的希望似乎愈來愈微，而思念之情卻愈來愈多！台灣畢竟是台灣，新的部分是帶濃厚美國風味，舊的部分卻充滿日本氣氛，他們實在沒有辦法把那份感情放在這些地方上，於是只好裝一點假想的出來。例如陸軍軍官學校裡的黃埔湖，這高雄的大貝湖，我想恐怕都在同樣心情下築成的！據到過西湖的人說，大貝湖不像西湖卻偏偏令人想起西湖。我總覺得，它的出現，對思家的人不是一種慰藉，而是一種危機和折磨。

那天，我們在嫋嫋臨風的柳絲中走過，曾一度在湖水中留下影子。可是個個都沒到過西湖，那份聯想與反應，就算有也來得不深厚。只有幾個人，在匆匆回顧裡，輕輕歎聲：「美呀！這應像西湖了吧！」

我一直抱怨，怎不在那兒多留一陣，反在塵埃蔽天的製鋁廠卻獃上了半天！回到香港後，接到我們副團長的信，她告訴我，她在我嚷著要多留一陣的大貝湖住了好幾天。在柳蔭下，曲欄邊垂釣，度過了幾個黃昏，這簡直使我羨煞了。

相信自別以後，大貝湖邊，仍有不少的人，在「憑仗西風，吹乾淚眼」！

——刊一九六四年一月十日《中國學生周報》599 期第三版「生活與思想」「一月行」專欄。

一九六四年

行後閑語

從台灣回來後，最怕的是有人問我：「好玩吧？開心啦！」如果回一句很好玩，那是違心的話。但若說不開心，又得跟著解釋一番為甚麼會不開心（況且有時解釋了，人家還是不明白的！）始終我就找不著一句又簡短又恰當的答話！這段旅程中，我竟然「學」會了在大庭廣眾的地方落淚。像在四川輪泊岸的一剎那、電影院裡聽國歌、陸軍軍官學校的大操場上……好幾次我用了許多力才壓得住，不致放聲大哭起來。當然，能夠哭出來就應算件快事，可是：偏偏還有許多事情使人既不能激動一哭，卻又重重疊疊的悶在心中，這就最不開心了！看在眼裡悶在心裡的事多得很，怪只怪自己放不下想不開，和看了許多人家本來不預備給我看的事。「自討苦吃」！這句話我接受！

*

匆匆一月，沒去的地方儘多，其中最抱憾的，就是我們在僑務委員會照顧下，為了生命安全問題，沒機會去看一看那神工妙鑿的橫貫公路。（回來後，給去過的人搶白一句：

「哼！這樣算到過台灣旅行麼？」）還有就是沒去那豎有「毋忘在莒」碑石的金門島，我真想知道天天在炮火下的島民是如何生活！尤其每次當我經過繁盛的西門町，困在熱鬧人潮中時，更切望著去看看。因為我實在沒辦法從這個大島推想到那個小島上去！

＊

對於那可遇而不可求的阿里山三日居、九小時山行、如夢如幻的雲海、含愁帶怨的姊妹潭，我都沒寫下來，這因沒有「力」把它們恰如我所見所受般描畫，勉強寫出來，只有委屈了它們。既然如此，就讓我永誌心中好了。還有，那個可愛得像個老父親的海軍軍官學校校長，也應提一筆。似乎我們旅行團的人都欠了他一件事，因為我們都沒好好的轉告別人——「海軍軍官學校是歡迎僑生就讀的！」這兒也總算作個不是交代的交代。

＊

我很懶！因此我應感謝幾個一直「迫」我把這篇東西寫完的朋友！

——刊一九六四年一月二十四日《中國學生周報》601期第三版「生活與思想」「一月行」專欄，為該欄最後一篇。

❖ 證

小思君用抒情的筆觸，把家國之念借遊記形式表現出來。一字一句都撥動愛國青年的心弦。無論在哪一篇，我都好像看到作者表面雖蒙著淡淡的哀愁，而心中燃著熊熊的烈火。作者流淚時，我也流淚；作者苦笑時，我也苦笑；作者快樂時，我也快樂。然而無論在流淚、苦笑、甚至快樂後，我都感到無可名狀的憂鬱。自由中國是中華民族的希望所寄，但在那裡有多少事情能鼓舞我們呢？

——懷璞〈無可排遣的家國之思——「一月行」讀後〉，見同期同版。

閑話鞠躬

前幾天，和一位已經畢業的同學在路上踱著時，碰見校長迎面而來。那位同學立刻端端正正地行了一鞠躬，跟著便感慨地說：「唉！很久沒有滿懷敬意地鞠躬了！」她那行動和那番心意，恐怕使許多隨波逐流，忘記了尊師這回事的同學慚愧死了！（連我在內。）

本來，彎一下腰未必能代表了學生心中對老師的全副敬意，而老師也未必稀罕那個鞠躬。可是，做學生的本來應該從小便有很好的訓練，把尊敬老師和鞠躬這兩事連起來，漸漸變成了一種心發體行的動作，使做老師的也好感到學生的確把自己放在心中，因而「老」懷大慰。但自從進入中學以後，不知是何處吹來的風氣，也許是人長大了便具有過分的自尊，同學們都普遍地不向老師鞠躬了。一群同學碰見了老師，有些視若無睹，有些昂首而過，若你堂堂正正地鞠起躬來，同學們不瞪著眼把你當怪物看才怪呢？（刻薄點就索性說你在討好老師了！）抵受不住這種尷尬場面，許多同學便立志不牢，不知由甚麼時候開始，我也不再鞠躬了。取而代之的是最普遍的招呼式——點點頭！而心裡的敬意也漸趨淡薄。

近年來，同學們不大向老師鞠躬是件有目共睹的事實，當然，有人以為不能因此便肯定學生不尊敬老師了！因為鞠躬只是一種形式，我們不必過分執著它，反正學生心中毫無敬意，那麼就是整天鞠躬如儀也是枉然！但究竟事實是怎麼的？我清楚記得有一位老師說過：現在的師生關係簡直像店員和顧客一般，顧客進店裡向店員要了東西，付過賬掉頭便走，既說不上尊敬，也說不上交情。而最近校長也慨歎地說：「現在的學生能把老師看作朋友已是難得了！」這都是老師本身有所感受而發出的慨歎，我們做學生的也許當局者迷，沒有好好的反省計算過自己心中對老師存過多少敬意，（或者根本就沒想到原來要尊敬這回事！）但在不注重德育訓練的教育制度下的今日，我們應來一個自動自覺的反省。

中國人一向注重師道，提出「學莫便乎近其人」，近而不敬，學的效果必不如理想。故尊敬老師，也即等於尊敬學問，同時也可以說等於尊敬自己。這一連串的關係，還不夠令我們反省麼？還有一點，我們是有責任不讓壞種子在這一代中蔓延散播，而傳到下一代去。（其實在現在的小學生群中，已看到它的影子了！）尊敬老師是一件我們應該做到的事，我們有甚麼理由忘記了它？

——刊一九六四年四月十日《中國學生周報》612期第三版「生活與思想」「春風小記」專欄，作者署名「賈逸」。此欄作者只寫過兩篇，首篇刊一九六四年三月六日第607期，題為〈考試惹來的「懶」〉。

一九六五年

「方山子傳」的眼

◇在羅富國師範學院取得教育文憑
◇任香港孔聖堂中學教師
◇在《中國學生周報》撰「書林擷葉」專欄

我們都知道，談中國詩的人，往往說每一首好詩都有所謂「詩眼」。這「眼」可能只是一個字，可是，別小看它，因為只有它，才使整首詩活生生地出現在我們眼前，而詩的靈魂也在此處透露出來了。就像一雙靈秀的眼睛，只要我們輕輕一看，便被它吸住了，永難忘記。一個你最歡喜的人，他的眼神往往是你最難忘記的。那麼，一首你喜愛的小詩的眼神，又何嘗不如此呢？但只說詩有「眼」，那恐怕有點不大公平吧！文章不是一樣也有麼？分別就不過是文章的「眼」，可能是一句兩句或一段而已。當我們讀一篇文章時，先別苦著臉說它長，說它難懂難念。試試平著心，去找它的「眼」。找著了，再用點心思和感情，它就會使你難忘。你的興趣也就出來了。那樣讀書，不是一件很好玩、很有趣的事情麼？

現在讓我們舉「方山子傳」做個例子吧！這篇文章，如果我們只啃著甚麼「篇幅甚短、變化甚多」，甚麼「神氣超遠」甚麼「煙波生色」，那就可苦了！單談「煙波生色」吧！居住在香港的我們，連煙波生色的實景也難看到，對於由實寫轉化到抽象的文評，又怎能捉摸得著？倒不如找找它的「眼」，想還有點趣味。

它的「眼」就在「俯而不答、仰而笑」七個字上面。試想想：蘇東坡真要為陳慥作傳麼？他倆原是志氣相投的好朋友——都想「馳騁當世」、「馬上論用兵及古今成敗」更見談得投契。但當東坡為他作起傳來，卻沒詳詳細細、正正式式地寫，為甚麼？其實，東坡就有滿肚子氣，想借著這篇傳來發洩一下吧了。東坡本有馳騁當世的志向，卻偏偏遇上了王安石這對頭，把他一次又一次的貶謫，使他吃盡不少苦頭。而陳慥呢？在「然終不遇」的情況下，早已放棄足以富樂的生活，「不與世相聞」了。因此，在黃州碰面時，他聽了東坡的訴苦，便「俯而不答」——

可憐啊！老朋友，你竟如此倒霉，唉！為甚麼總不肯讓我們有一肚子志向的人出來做點事？跟著「仰而笑」——哈！哈！俗世是容不下我們的，還是我看得透……否則……啊！老朋友！我真的看透了！哈……

這七個字，簡單麼？只用來描寫陳慥當時的神態麼？東坡吐的苦水都在這兒了！我們忽略了，恐怕東坡會在泉下喊冤呢！

——刊一九六五年八月六日《中國學生周報》681期第四版「讀書研究」「書林擷葉」專欄，作者署名盧飆。盧飆共撰「書林擷葉」十五篇，此為首篇，最後一篇〈靈魂的補劑〉刊一九六六年四月一日第715期。

一九六五年

「荊軻傳」的力

我很愛讀「荊軻傳」，但絕對不是因「史記」無論在史學或文學上都有著崇高的地位，才附庸風雅一番，硬說自己喜歡。（因為在史記中，就有許多我讀不懂，或不喜歡的篇幅。）而只是因它實在蘊涵著一種陽剛之美，同時具有一股壓人的力。當你讀它時，很容易感到那股力在懾壓著你，是毫不能反抗的，就如此，它便侵入了你的腦海。有點強蠻，可是你就喜歡定它了。

正在讀著它的同學，一定會不大同意我這話，甚至有些會說：「你倒說得輕易，難為我們正拚命地去啃，還啃不下那長長的十一頁東西。甚麼力不力的？說句真話：我倒沒反抗它，是它在不停地反抗呢！」同學們先別急，只要把「讀好它去應付考試」的念頭放下，等到心平氣和時，再用欣賞的心情去讀它。到那時候，它的力就出來了。自然地，你也再不會忘記它。

說它全篇是力，未免使人感到過分抽象，但我也沒辦法去形容它。我只能說出力的主要據點在哪兒，讓你們自己去感受好了。我以為力的主要據點，就在全篇內很多的短句上。無論在敘事或描寫，太史公都用上了許多短句，形成了一種明快卻有著急促頓挫的調子。就在一頓的當兒，力就顯現了。讓我舉兩個例子吧！

秦舞陽是個用來配襯荊軻的人物，「年十三，殺人，人不敢忤視。」太史公沒詳細地去介紹他是如何勇、如何狠。但「年十三」（一頓）——呃！小小年紀。殺人（一頓）——不為甚麼，就是殺人吧了！「人不敢忤視」（一頓）——好嚇人呀！——秦舞陽一副惡相全給鈎出來了。每一頓都充滿迫人的氣力。

再看看刺秦王那段：「秦王發圖」——來了！來了！「圖窮而匕首見」——不得了！「因左手把秦王袖，而右手持匕首揕之，未至身」——「秦王驚」——「自引而起」——「袖絕」——「拔劍」——「劍長」——「操其室」——「時惶急」——「劍堅」——「故不可立拔」……試小心讀一下，當到每一頓時，你的心自然會感到一陣力的敲擊，而發生緊張的反應。有反應就好了。因為它已進入了你的腦中，應付考試也自然不成問題啦！

——刊一九六五年十月一日《中國學生周報》689 期第四版「讀書研究」「書林擷葉」專欄。

枕中新記

話說一日，荒唐生偷得浮生半秒閒，乃抱出昔日呂翁道士於邯鄲道上所授寶枕，作其荒唐夢去也。才合上眼，便恍恍惚惚的睡去……朦朧間只覺身子飄飄蕩蕩，來到一處，不知是何地方，但見朱欄玉砌，綠樹清溪，真是人跡不逢，飛塵罕到。心中好生歡喜，忽見那廂來了兩人，且行且談。其中一個，好生面熟，不知在何處見過，只見他金睛火眼一閃，哦哦！想起來也，乃昔日大鬧天宮的孫悟空，荒唐生日與其子孫相對，難怪如此面熟。其旁一人，身長九尺有餘，首上圩頂，溫恭而威，舉步中規，令人見之肅然。荒唐生心中正在疑惑，忽聞喝道：「是何俗物，帶來俗氣，阻在夫子大道之上，快快給我拿下！」嚇得荒唐生汗下如雨，慌忙叫道：「冤枉，冤枉。弟子乃無意間來到仙地，又未見豎立『俗物止步』告示，才致有污淨土，萬望仙師恕罪。」那時，只見那溫厚長者開言，道：「聽其言觀其行，知其乃無心之失。悟空！饒他也罷！況且，他能至此，總算是一番機緣。你何名何姓？從何方而來？詳細給我道來。」荒唐生見他慈祥，心中也就不慌，於是上前答道：

「弟子名叫荒唐生，乃來自那昌明隆盛之邦，詩禮簪纓之族，花柳繁華之地，溫柔富貴之鄉。未知仙號如何？」只聽那長者呵呵笑道：「有緣有緣，我乃春秋時棲遑救世之孔丘是也。因聞下界尊孔重道，年年有祀孔大典，今正欲到你來處，一享誠敬之意。又因人地生疏，才請得孫悟空作伴，今回相遇，正好請你作個嚮導，如何？」荒唐生雖云俗物，但一向亦曉尊敬聖人，論語也唸得七七八八，聞言自然大喜，乃長揖道：「原來，大成至聖，萬世師表在此，請恕弟子禮疏。嚮導一責，弟子定當肩負。但我來處祀孔日期，個個團體不同，未知聖人欲享哪個之誠意？」悟空聞言，爭著說道：「夫子生辰只有一個，何來幾個日期？」荒唐生正不知如何作答，但聽長者道：「此等乃屬閒事，不究也罷。時間無多，我知下界有一繁盛之區，今日正舉行三獻大禮，與會者都是一時彥傑，就去一看，如何？」言未猶已，只覺彩雲相送，咱們三人，已在一張燈結綵場所降落。荒唐生定眼一看，只見人頭簇擁，好不熱鬧。而且與會之人，果真是一時之彥。只聽那司儀站在台中開口：「各位來賓……」就嚇得悟空及聖人一跳，原來，他們都不知道「咪高峰」的功效，荒唐生此時方知他兩對下界生活文明，甚為隔膜。於是乃一一詳作介紹……「此乃鋼琴——屬西洋琴瑟之類。西洋者昔日所謂夷狄者是也。此乃社會名流，是實行夫子大同思想之信徒。此人所穿乃西裝洋服。此乃閃光燈，只消一閃，人之形象便可不朽，且可於報紙間流傳，到時人人皆識尊範，則身列名流，指日可待矣。此乃……」荒唐生正說得忘形之際，而莊嚴隆重之儀式已完，各人正紛紛離座，茶點可樂西餅去也。抬頭一看，又只見夫子面色蒼白，悟空在旁小心參扶，冉冉而逝。荒唐生正待恭送，只見仙蹤已沒入雲中，但隱約微聞夫子嘆聲道：「那兒俗氣熏得我好苦也！」荒唐生莫名其妙，也不分好歹擠入人叢，爭得一件西餅，一支可樂，正想送入口中，忽聞一聲霹靂，若山崩地陷……「荒唐生！又作白日夢耶！快快給我唸『大同與小康』首段……」荒唐生大吃一驚，定睛看時，只見亞Sir鐵板青面站在身旁……慘矣！慘矣！

——刊一九六五年十月八日《中國學生周報》690期第十二版「快活谷」，作者署名荒唐生。

參

❖ 記得每期我在報攤買《周報》後，先翻的一頁不是影評，也不是佔更多篇幅的文藝或社會議題，而是搞笑版，叫《快活谷》。

——二〇〇七年二月十三日陳冠中的博客：〈中國學生周報〉。網上讀取：http://blog.sina.com.cn/s/blog_48c64652010008z5.html

「歸園田居」的真

許多人會有一種觀念：認為詩詞總比長篇大論的文章好唸得多。看它篇幅既小，又是押韻的，唸起來倒「順口」，輕輕鬆鬆就記得住了。誰說不呢？但我卻認為，滿不是那麼一回事。一篇文章，字數總不會太少，它要說出的事實或道理，往往可以結實地給我們把握得住，任我們怎地沒有悟性，只要肯多讀多解幾遍，相信也不致落空。可是，詩詞字數有限，而蘊含著的意思卻無限。熟讀了，但如果沒有放開心懷，讓自己的「情」依據一定的路線去探尋，那作品便算有千萬種「情意」，我們還是會讓它輕輕溜走。要「探尋」，可就不是一回易事了。所以，我認為對於詩詞應說「欣賞」，不好說「讀」。欣賞也不只欣賞它的構句或形式之美，最重要的是它的「意」。

就拿陶淵明的「歸園田居」三首作例子吧！一說到這些詩，我們準會評上一大堆：「自然灑脫」、「恬淡清遠」。可是我們更應該去享受陶淵明付出的一片「真」。他那番真情真意，就隱藏在輕輕道來的真景真事裡。

現在試看看第一首：二十句詩裡，描述他所歸的園田的景物，就佔了十二句：「我要去的那個地方，喏，有地幾畝，屋幾間，樹幾株，花幾種的那兒，看，不大清楚的遠村，一絲絲的墟里煙；聽，狗在那邊吠，雞在這兒鳴……就是這麼一所房子，靜靜的，閒閒的……」他倒是殷殷地，不嫌瑣屑向我們述說那個地方，那個地方卻又不是個甚麼了不起的奇境，不過是平常的鄉村實事真景而已，犯不著要如此認真訴說一番。但我們應知道，陶先生被那「塵網」纏得好苦，「舊林故淵」本是平常，可是，對於「羈鳥池魚」來說，就有另一層的意味了。雖然是平常的田園，難為他要等了一把日子，才有回去的機會，他不應情不自禁地向我們講一番麼？所以，只有那些真景真事，才顯得出他的真意真情。

陶淵明的詩，全充滿了「真」。等閒的一草一木，就各有生趣，用不著加意的描寫。而他對草木之情，就在那兒透露了。

「此中有真意，欲辨已忘言。」這是他自己的話。當我們欣賞他的詩時，千萬莫辜負了他的「真」！

——刊一九六五年十月十五日《中國學生周報》691 期第四版「讀書研究」「書林擷葉」專欄。

不要忘本

一位同學拿了我一本詞選本，急急忙忙便抄下了幾段東西，我問她抄了哪個作家的作品，她卻毫不在乎地說：「理他誰是作者幹嗎？反正，只要我歡喜那些詞句，抄下來讀讀就夠了！」本來，純粹文學欣賞，重在感受，我向來也不大主張費太多的力和精神去作考據工夫。第一眼看下去，就是滿紙考證文字，定把欣賞時的「情」沖淡了，多少也失去那股心接心的「味」。（當我們用心去讀某一作品時，我們與作者的心靈，便會超越時空地相接觸，產生一種共鳴，「味」就在這兒出來了。）可是，我們卻不能因此便放任得連作者是誰也不肯去理一理。必須知道作者與作品有著分不開的關係啊！

試想想：一篇美好得令我們讚歎不已的作品，它必來自一個不平凡的心靈。好的種子、好的土壤，才結出好的果實。我們根本很有理由去探查一下這個心靈所託之所。這個源流，既產生了文辭的內容，同時也決定了其形式，而我們無論欣賞或研究，也不能脫離內容或形式，為了徹底，實在應該追本探源。還有：這個心靈所託之所遇到一切事物、經驗、環境，都足以直接影響著心靈，也就是說會影響到作品，因此，必須先了解作者，才會更深的了解作品。

舉例來說：我們讀李後主的詞，就不能不先知道他的一生。他的遭遇直接影響了作品的風格，如果我們只知道他是個皇帝，皇帝生活必是快快活活的啦！那麼，讀到「問君能有幾多愁，恰似一江春水向東流。」「獨自莫憑欄，無限江山，別時容易見時難。」「往事只堪哀……」一定會以為他是個無病呻吟或「為賦新詞強說愁」的人了。又例如：我們讀陸游的釵頭鳳：「東風惡、歡情薄、一懷愁緒、幾年離索、錯、錯、錯……山盟雖在、錦書難託、莫、莫、莫……」如果早知道了他和唐氏的那段哀怨而無可奈何的分手經過，則三個「錯」字和三個「莫」字，就宛如千刀萬刃刺傷了陸游的心，同時也刺傷了我們。試問，我們怎能夠，怎忍心說句：「理他誰是作者幹嗎？」

作者是作品的本，我們是不能忘本的呀！

——刊一九六五年十二月三十一日《中國學生周報》702 期第四版「讀書研究」「書林擷葉」專欄。

「苦」中求樂

凡做學生的，面對著一大堆又要背又要默的國文書，總會嚷著好苦好苦（儘管是個對文學頂有興趣的學生，總會碰上一兩篇令你叫苦的東西的）。但為了應付考試，任你叫上一千句苦，到頭來還是要讀，那樣的讀書，也就真是苦了。其實，這種苦頭是自取的，因為我們心中老早便肯定了「是苦的」，則它非苦不成。如果能消除這種成見，再找找一些有趣的東西，看看玩玩，玩得興起，苦就不知不覺地溜走了，而樂也就出來了，心中一樂，便會輕輕鬆鬆地把它記在心底裡。那不是件很好的事嗎？

既然如此，我們就拚命去找「趣」好了。但到哪兒找呢？這些「趣」絕不會堂堂正正在你面前亮相的，我們得細心去捉它，它可能躲在字裡行間，它可能是老師也沒提過的小到無可再小的問題，它可能是千古以來的大家也解答不著的疑問。我們找著或捉到了它，還得自己設法去求答案，但，首先要記著：我們未必捉到它，捉到它，又未必一定找到答案，不過，趣味則儘會有的。因為一個獵人走進叢林裡狩獵，未必次次要滿載而歸，但絕不是代表「如此就乏味」。

現在就讓我舉些例子看看吧！王粲的「登樓賦」，許多同學都讀過啦！裡面有一句：「涕橫墜而弗禁」，你們有想過麼？王粲是好端端站在樓上遙望的，他的「涕」流下來時怎會「橫」起來？除非他是臥著，或是他的頭全歪了，否則，何以用上一個「橫」字？又例如杜光庭的「虬髯客傳」，你們記得李靖和紅拂女途經靈石旅舍初遇虬髯客一幕麼？「既設床，爐中烹肉且熟，張氏以髮長委地，立梳床前，公方刷馬，忽有一人……乘蹇驢而來，投革囊於爐前，取枕欹臥，看張梳頭！」你們有沒有懷疑隋唐之間的中國旅舍設備？居停之所：床在那兒、爐在那兒不奇，連刷馬也在那兒，甚至別個旅客竟能橫衝直撞而來，毫不客氣地取枕欹臥，唐突得盯著人家女眷梳頭，那就有點奇了。如果你是佈景師，看了這段敘述，然後設計一場景，你把它佈置成室內還是室外？是房間還是天階？

這些都是好玩的問題，現在只舉了兩個例子，還多著呢！你們自己去找找，很有趣很好玩的！

不必苦著臉兒去讀書！

——刊一九六六年一月十四日《中國學生周報》704期第四版「讀書研究」「書林擷頁」專欄。

靈魂的補劑

一直我都沒有提及過白話文，今回算是破題兒第一遭了。白話文看來似乎比文言文易於了解，但恐怕老師學生都不大歡迎它。怎麼說呢？白話文好處在一看便懂，沒有考據文學或歷代名家的注釋可抄，於是老師的才華就無處表現。讀讀解解的老辦法也行不通，幾堂時間必得努力才混過去，你說老師怎會歡迎它？學生更認為「呢麼了的」是默書時的害人精，最好還是別惹上它。現在，讓我們都擺脫這種身份和心情，投進徐志摩「一輩子就只那一春算是不曾虛度」的春天裡。「帶一卷書，走十里路，選一塊清靜地，看天、聽鳥、讀書。倦了時，和身在草緜緜處尋夢去……」讓我們全都擺脫中環的人群，會考的書堆，追隨著詩人去看康橋！

我們從康河上流出發，經過拜倫常在那兒玩的潭邊，經過「花果會掉入你的茶杯，小雀子會到你的桌上來啄食」的果子園，便來到精華所在的中部。流連在調和勻稱的建築物間，沉醉於清澈秀逸的意境中。步過怯伶伶的三環洞橋（詩人在這兒曾有鄉愁：追念有深潭飛瀑的廬山，哀憐被代表近代醜惡精神的汽車踩平的西泠斷橋。）凝神的看著，等著。去體會純粹美感的神奇。

詩人說：「春是更荒謬的可愛。」黃昏，康河畔，吃一服靈魂的補劑。河的兩岸是最葱翠的草坪；有黃牛白馬在靜靜的吃草，我們也可在那兒打幾個滾。在河上，我們可見詩人東顛西倒的撐著薄皮舟，裙裾悠飄的女郎撐船的輕盈，或索性躺在小船上念書，做夢。

太多人離開大自然了，詩人有點兒生氣，他突然扳起面孔說了些教訓話。跟著我們又趁著曙色走入林中霧中，步過原野，登上土阜。看炊煙，數村舍。春假裡，我們又可騎單車（自轉車）任選一個方向去野遊，嘗嘗「掛單」的味兒，作個異鄉人的異鄉人。更可騎了車迎著天邊去追日……

這是徐志摩深深愛上的康橋。我說得不好，使它失色了許多。今天晚上，就打開書，把「我所知道的康橋」從頭細細讀一次——不是應付考試的讀。讓詩人的妙筆，把大自然的優美、寧靜、調和淹入你的性靈，洗去了塵俗與煩惱！

——刊一九六六年四月一日《中國學生周報》715 期第四版「讀書研究」「書林擷頁」專欄。

沙甸魚式教育

一個工匠模樣的人，站在工作枱前，正依模捏製著許多樣子相同的「公仔」。這是幅毫不吸引人，也不見得有趣的漫畫。但看到在它右上角的標題——「某種教育」後，就不禁令人啞然失笑，繼而搖頭嘆息。這是豐子愷在一九二八年寫成的一幅漫畫。通過他那毫不誇張的筆觸，深刻的思考，透露了當時的教育實況。同時，更毫不留情地加以批評。如果，現在我們想找遠在三十八年前的中國教育情況的資料，恐怕不易。就算找到，相信也是官樣文章，真實性總不會及得上這幅漫畫。

這樣看來，三十八年，我們中國人沒有一天接受過良好的教育。全都是依樣捏製。不過，那些「公仔」樣子倒還像個人，總算是不幸中的小幸。目前的教育制度又如何呢？我不是個漫畫家，沒能力把它畫出來。可是，我卻替它想出一個名詞——沙甸魚教育。沙甸魚，想來誰都會吃過。一大批沙甸魚被人從海裡撈上來，就和生命告別。再被送到廠裡去；去頭去尾的變成長短差不多的一段段。然後，經過同樣炮製方法，加上一般的調味品。入罐，抽氣，消毒等手續都做好，貼上招紙，一罐罐味道如一，毫無雜質的沙甸魚便可出廠，以相同的價錢賣給顧客。當然囉，如果屬於廣告工作做得好而深得顧客信任的「名廠」出品，價錢方面，不必問也應高出許多。

儘管沙甸魚已成為很普遍的食品，但我最怕吃沙甸魚。且先說外形，扁平的罐打開來；一截截沒頭沒腦，沒有魚型的魚，被壓得死實的躺在裡面，早使人倒抽一口冷氣。吃進口裡，無論名廠或雜廠，味道則一：調味品以外，就是一陣腥羶。肉像很鬆，多嚼兩口，便變成很實的「渣滓」，骨是有的，可是絕不硬。這種東西，吃了後，會整天反胃。也許，別人不會像我般討厭沙甸魚，這可能是從沒嘗過鮮魚的美味，或是在無可奈何中吃成了習慣。這些人都總稱得上幸福。

其實，可憐的還不在吃不吃的問題，而是在魚的本身，這應該是一個悲劇。

由捏「公仔」，到製沙甸，通通是悲劇。

——刊一九六六年七月七日《新聲》雜誌（孫淡寧〔筆名農婦〕主編），作者署名莫桓。

一九六六年

算我敗卻第一仗

學期的最後一天，班長跑來向我說：「老師：同學們決定旅行去，希望你答應跟我們一塊兒去！」我的回答令他們很失望。其實，他們並不知道，在我回絕的當兒，心底裡並不好受，失望、慚愧、自疚同時湧現。輕輕一句「不去了」，就是我信念不堅定的活見證，儘管平日如何理想滿懷，自以為一直不屈地衝破困難向正途前進。可是，在最後，竟受不了試探，讓步了——不！應該說是畏縮。對於自己，我實在太失望了。

也許，有些正在當教師的，會覺得我故作驚人，甚至是個傻瓜在說夢話。因為要帶一群小鬼去旅行，簡直是頭等苦差，巴不得「幸獲免役」。但我的想法卻不同。我深切相信，整天呆困在課室裡，扳起面孔地去「訓」，而要學生接受帶領，要了解學生，效果一定不大。如果，大家都能往外邊跑跑，在白雲微風草香之間，心接心的聊一陣，許多意想不到的良好效果都會出現。我既有了這種想法，當然就決定實踐。可是，好心的人不只一次的勸我說：「千萬別冒這個風險。你知道麼？帶學生出去，得向許多方面請准的。私自的去，萬一有甚麼三長兩短，不但你要負全責，還會給學校帶來天大麻煩，飯碗碰爛了，還要另加罪名呢！」頭一次聽這些話，我是一笑置之。但聽上十回，竟被潛移默化了。

但，在失望之餘，我實在不服氣，我必須振作起來，在惡劣環境下一戰再戰。為我自己，為被困扼的下一代，就拚了吧！只要能實踐了「我和你們旅行去」這句話，以後，在我心中的主張，便會一件件出現了。

——刊一九六六年八月八日《新聲》，作者署名小思。

自私的懷念

能如此的全心全意，如此長久，如此深去愛去迷著一樣東西，在我來說，二十多年就只此一次。恐怕這生中也只此一次。我很放肆地讓自己去愛它——越劇「紅樓夢」！

「乳燕離卻舊時巢，孤女投奔外祖母，記住了不可多說一句話，不可多走一步路……」算起來，六年了！就打那個一面淚光的林妹妹，弱不勝衣地從幕後走出來後，越劇「紅樓夢」便佔了我的心。從此，我天天盼望著那套電影，嘴裏總說著「紅樓夢」長「紅樓夢」短。（千萬別惹起我說它，一說我可以硬拉你聽我兩三個鐘頭。）窮得要命的當兒，還想辦法找錢買來它的唱片。自己沒有唱機，挾著它跑到熟悉而又具備唱機的人家裡，每次非聽上十次不肯走。電影來啦！是加價的，我要看十多遍，於是厚著險皮到處求好心的朋友「認捐」。人家都沒碰過這種「乞兒」，所以，都答應捐給我了。可是，我要求更多：我要那些人一定也陪著我去看。以後，一說「紅樓夢」，就由心底樂出面上來，制也制不住。

六年來，隨時隨地，「紅樓夢」裡的人物會如此在我眼前耳旁飄動……。

「啊呀！林姑娘來了，真的來了，我來遲了……」

一連串笑聲中，還沒見到人，就早知道這個王熙鳳是活的了。等到她側著身子，右手向桌子一按說：「沒一個換樑掉包計」，算是曹雪芹親自看見，也該承認：「這個是王熙鳳。」「林妹妹，你的身子好了沒有？我們很久沒見面了。今天是從古到今，天上人間，第一件稱心滿意的事啊！」

樂透了的寶哥哥隨著把那寬大的水袖，輕盈的翻幾翻，（這句子真差，但我想不出甚麼字眼去形容。其實，這整齣戲，都不是我用文字可以形容的。想起來，這樣一寫，太委屈它了！）聲音轉呀轉的進入了人心裡。寶玉是癡得這樣可愛。等到他慘兮兮地問紫鵑時，那在臨終咬緊牙齦直聲說：「寶玉、寶玉、你好……」的黛玉都早饒了他。所以，我最不喜歡紫鵑狠狠地說：「世上的人兒不如牠！」她不知道寶玉已經慘得要死了！

悄無人聲，只有窗外的竹子被風搖動著，落寞的瀟湘館，只有一個病黛玉配得上臥在那兒。看她支住身子，拿起詩稿：

「我一生與詩書作了閨中伴，與筆墨結成骨肉親……這詩稿，不想玉堂金馬登高第，只望它，高山流水遇知音，如今知音已絕，詩稿怎存？」

你會發現流淚不是最痛苦的表現。此時，窗外射來一線迷濛寒光，幽幽的聲音唱著：「只落得，一彎冷月葬詩魂。」這個鏡頭就是一首詩。還有，那個笑起眼睛瞇成線的賈母、深情的紫鵑、嚴正得使寶玉呆著臉的賈政，甚至只說了兩三句恰如其份的話的鴛鴦……每一個人物都活生生的，從百多年前「看來字字皆是血」的曹雪芹筆底下，走到眼前來，要你著迷。如果要逐個來寫，再多兩三千字，可還未必寫得完！

我一直沒有提過主演人的名字，原因是在那戲中，寶玉就是寶玉，賈政就是賈政。絕沒辦法把徐玉蘭，徐天虹這些名字拉上去的。那我何必提起他們呢？

我的迷，我的狂，已成定局。但誰會知道六年前，我是帶著挑骨頭，找毛病的心情踏進「普慶」的呢？伸著脖子看了三個鐘頭。到頭來，是情不自禁的鼓掌，也惹來了六年來的魂牽夢縈，為了甚麼？因為那是眞正的藝術！（文學與戲劇結合了！）雖然，大陸一直把「紅樓夢」當成反封建的教材，但那群精采極的演員，把握得原著的精神實在太好了，誰在看戲的當兒居然還會想到甚麼反封建，早應該入「精神病院」住住才對。真正的藝術有它的力！政治勢力即管摧殘它毁滅它，可萬萬不能支使它！在「紅衛兵」狂流下，古裝戲都不能上演了，相信「紅樓夢」更沒倖免之理。雖然，它在許多人的心中早已不朽，但畢竟還有許多許多人沒有看過，這使我泛起更多的懷念。本來，在國家多難的時刻，應該懷念的是億萬受苦同胞，可是，對這樣的國家，這樣的同胞我能用甚麼方法去表現自己的懷念？就算自私點，讓我在這兒，懷念著最愛的，但恐怕再沒機會看到的「紅樓夢」吧！

刊一九六六年九月三十日《中國學生周報》741期第二版「藝叢」，作者署名兔仔。

證

❖ 一九六〇年十二月二十三日《大公報》頁四：〈全院座票兩小時內售罄　上海越劇團今晚首演紅樓夢　由名演員徐玉蘭王文娟呂瑞英金采風等擔綱　普慶昨出現長龍　今晨預售明晚票〉，內文報道：「著名越劇『紅樓夢』今天晚上在普慶戲院首次公演。今晚戲票在昨天早上兩個小時內全部售完。這些觀眾們對欣賞蜚聲國際的越劇藝術，表現了巨大的熱情。」

全院座票兩小時內售罄
上海越劇團今晚首演紅樓夢
由名演員徐玉蘭王文娟呂瑞英金采風等擔綱
普慶昨出現長龍　今晨預售明晚票

江浙同鄉歡宴越劇團
王寬誠致詞預祝該團演出成功
袁雪芬講話獲熱烈掌聲

❖ 一九六一至一九六二年間，有一個大型的上海越劇團來香港演出《紅樓夢》，由頂級演員徐玉蘭、王文娟分別飾演賈寶玉和林黛玉，原本小思抱着一種很敵意的態度去看。「當年，許多父母大都是從內地來的，自小聽到有五花大綁的屍體從對面河飄過來，經常聽到有人講逃難慘況，那時香港長期有一種恐共情緒。」不過，這種敵意很快就消融了。「當賈寶玉一出來，我就完全投降了，完全忘了甚麼是反共。」

——鄧傳鏘、麥善恒〈安土不遷　小思：香港命大不會死〉，見二〇一六年十月《信報財經月刊》。

一九六七年

他帶給了世界：信仰、愛和蘋果

◇任筲箕灣嘉諾撒修院中學教師

當種蘋果樹的尊尼，快快樂樂跟著守護神大踏步走向天堂時，便傳來這句讚美話。尊尼是不是能當得起這句話，我不知道，但如果是用來說和路狄士尼的，那就恰當不過了。

每當我擠進電影院裡去看那些打得天烏地暗的特務片、殺得血肉橫飛的戰爭片、談得不知天高地厚的愛情片時，我就想：能再看看「雪姑七友」「仙履奇緣」「小姐與流氓」「幻想曲」，那多好啊！你可別笑我童心未泯，我們已經十分不幸，生長在這個一塌糊塗的世界上，血淋淋的現實，我們還受不夠？連娛樂時間也要生吞硬啃那些令人難過的東西？我們應感謝和路狄士尼，他的確為我們純真的童年心境建立了一個信仰——弱小的未必可欺，強橫終敵不過真理。多少次我們為弱小的老鼠脫險而歡呼，多少次我們為勇挺胸膛的米奇而鼓掌。儘管一百〇一隻小狗多可憐，牠們到頭來還回到爸媽的懷裡。牠們都弱小得像我們，但仍舊勝利，因為有真理支持。我們為這而得過真正的快樂。他也告訴了我們天地之間有純真的愛，這我不必舉例子，因為每部由他監製的影片都充滿了。許多人會感到那些表現手法很幼稚，但只要我們真的感動，只要我們都不會忘記，那又何必計較呢？他也為我們帶來了一顆顆又紅又大的蘋果：頑皮而機警的湯尼、雪姑那七個不同脾氣的小朋友、幫助灰姑娘但很「論盡」的肥瘦老鼠、和睡公主一塊兒過活的肥肥仙女、嬌滴滴的小姐和吊兒郎當的流氓——他們不都像一個個紅紅的大蘋果麼？還有許多自然界的現象，動植物的生態、數學物理學的有趣圖解，古典音樂的介紹——不也像蘋果那麼有益身體麼？

沒錯，他只是一個電影製片商。說到甚麼高超的電影藝術，沒有他的份兒。但他應該是不朽的。我們不能要求人家紮緊肚皮談道德，更沒理由要商人不賺錢。只要像和路般自己既賺錢，又帶給我們信仰、愛和蘋果，那就是個偉大的商人，可愛的商人。可是，他終於死了！我真怕從此失去了吃蘋果的機會。只望他親手栽下的蘋果樹，不會因此而枯萎，讓下一代也能享受。

最近，我叫一位唸中四的同學去看重映的「仙履奇緣」，她竟裝成一副大人相拒絕了。何必那麼急裝大人相呢？和路狄士尼就是好心腸為我們解下壓得發慌的大人相，我們為甚麼不趁機樂一下？我真希望有間電影院可以來個「和路狄士尼月」，把所有由他監製的影片，通通放映一次。這樣，既可以對他一生事業作一結算，而在特務橫行、拳槍交加的電影世界裡，注下一服清涼劑，不也是件好事嗎？

一生為人們帶來快樂的和路迪士尼去了。但願天國裡的神仙們也需要他，而他也去得像尊尼那麼快快樂樂。尊尼去得開心，因為他種的蘋果樹不斷結果，世世代代的人都能吃到。和路迪士尼的童話世界，也該是一樣的吧？

讓我們在這兒，對和路狄士尼作一次最深的敬禮和謝意！

——刊一九六七年一月十三日《中國學生周報》756 期第二版「藝叢」，作者署名兔仔。

證

❖ 一九六六年十二月十六日《華僑日報》頁三：〈和路迪士尼　昨日病逝〉。

❖ 一九六六年十二月十七日《工商日報》頁三：〈「米老鼠」創造人　和路迪士尼逝世〉。

和路迪士尼

昨日病逝

（合眾國際社荷里活十六日電）二十世紀最受人愛戴及最傑人物之一和路迪士尼週四日逝世，享年六十五。和氏創造一純真娛樂皇國，使上至國王，下至販夫走卒，婦女老幼，莫不皆大歡喜。

和氏於週四晨在貝爾賓甯約瑟醫院逝世。十一月時和氏曾接受手術，割去肺部一葉，其後發生一潰瘍。此次再返醫院，係作手術復後之檢驗。和氏代言人當時拒絕其腫瘍是否屬惡性。

一九六七年

飛雲憔悴夕陽閑

獨個兒像遊魂般回到圓亭子旁，那片可憐草坪，就像以往冬天時的模樣——一到冬天，牠就很老！你們知道麼？我沒勇氣像以往般，懶得要命挨著圓亭支柱坐下來：因為我怕水泥做的凳冷。草坪雖然老，依舊准許我坐。其實，牠從沒反對我們坐的，不是嗎？我們生氣吵架，吵得氣憤就狠狠拔牠一把。我們誦詩誦得高興了，不知不覺又拔牠一把。但牠從不因此而生氣。牠知道我們是愛牠的。春雨後，牠青得更青更青，我們就連踏一下也捨不得。如今，牠老了，還帶了一面回憶顏色——奇怪！怎的我從沒為牠作過詩？你們呢？作詩？嘿！別提這笑死人的玩意了！那些蹩腳的詩，使我們都做過一個時期吟風弄月的詩人，使我們意氣得像飛雲。你們知道麼？那兩棵影樹抖落了葉子，看來比從前更強橫了。一到冬天，牠總是滿面不體恤人家的神態，我覺得牠有些兒變本加厲！在牠底下一抬頭，就可以看到雲——我們歡喜的雲。我們曾以為雲最有靈性，極度的自由，可以掃過天空，可以飛快的從天的這邊抹到天的那邊，沒有一根繩子綰得住！不必老在地面上拖。其實，大概以往我們都錯了。今天，我一抬首，卻只見雲被撕裂、破碎，然後被亂擲在藍得怕人的長空裡。原來，冬天的雲會這樣的。你們發現麼？還有還有，它實在淒涼。當水點在她身上凝聚得太多，就挪不動，終於還是愁默默地投到厭煩的地上，幻化成一江春水（那算詩意點），或混了塵泥變成當人一提腿就濺得抹不清的泥漿。一下，變得令人聳悚的不自由。從雲變作地上的水，其間必定夠多難受！一開始時，就該在雲和水當中，任選一樣，然後死心塌地去安分，不變來變去，那多好？為甚麼我們從前沒如此想過？大概想過的，但誰也不忍提起！噢！原來我拔得滿掌是老草坪的草。這壞習慣怎麼還扔不去。咳！該回家了。太陽早攏了眼睛。記得麼？這個時候的太陽，總是閑閑的，愛理不愛的臥向「荒山」。黃得蠟著的光，迫出顯明的山痕，（只有這時候，獅子山使人看得很舒服、很有勁，是不？）真不明白，為甚麼誰都說太陽代表新生力，雄偉，不需依傍。只是看看它現在這個多無可奈何，多寒傖，又倦又惱的模樣，就該失笑。多可憐的不需依傍者！毫無目的，就是天天由東爬到西，上來，下去。閑閑的，不知到何時方休！對於它，也該有些變化，如果太陽像雲般可以變成水，落到地下來，那多刺激？唔！它委實變不來。依然每個黃昏，無可奈何地挪動累贅身軀，投向荒山！

走了！回來就像以往一般看雲、夕陽，和老草坪。你們此刻正幹著甚麼？

——刊一九六七年三月三日《中國學生周報》763 期第七版「新苗」，作者署名小思。

證

❖ 樊善標：「您從就讀新亞書院開始便發表，除了《一月行》的遊記外，早期的文章內容有許多民族、教育理想，例如剛才提及的雙十節特刊。您在特刊裡介紹了許多革命先烈，又附上一首以辛亥革命為題的古體詩，您又在《學壇》上寫年青時的孫中山先生等等。我感覺您最初寫作並不是為了抒情，而是為了介紹一些事理，例如民族思想。後來有一篇文章〈為飢餓者向周報進一言〉，指出《周報》的文字太深奧了，擔心讀者未必讀得明白，也是有明確用意的。我找到第一篇抒發感情多於教育目的的作品，是一九六七年的〈飛雲憔悴夕陽閑〉，這篇文章寫您回到新亞書院，在圓亭下徘徊的感受。這篇抒情文章相距您在《周報》開始發表已經四年，……」

——見《曲水回眸——小思訪談錄．下》，頁二十二。

❖ 一九六四年十月九日的《中國學生周報》，頭版題目為〈國慶特刊〉，〈華夏篇次風字韻．堂堂華夏國大風〉為小思作。

——關於雙十節特刊，《曲水回眸——小思訪談錄．下》，頁二十一注8。

❖ 小思：〈年青時代的孫中山先生〉，《中國學生周報》第六四三期，第三版，一九六四年十一月十三日。小思於一九六四年至一九六六年間，不定期撰寫《中國學生周報》專欄《學壇》，主要的題材為民族、社會時事。

——關於「在《學壇》上寫年青時的孫中山先生」，見《曲水回眸——小思訪談錄．下》，頁二十二注9。

一九六七年

傻瓜的夢

我夢見……

一幢三層高的普通房屋，假如不是看見長長房間的盡頭，懸了塊裂痕斑駁，而又勉強塗上一層反光漆油的「黑板」，我根本不會相信這就是一所學校。黃昏時分使這裡更暗淡。學生陸續來了！他們小心地坐在只要稍一移動便會發出「吱吱」「嘎嘎」聲音的椅子上，好奇的瞪著我這個校務主任兼班主任——據說我是踏進這學校的第一個女教師。我也用神看清楚每一張面孔。這是小學，他們是小學生，可是從他們面上找不到小學生應有的天真，而卻是世故，老練和疲倦。好幾次，儘管我講授得興高采烈，但依舊有一兩個不支的睡去了。可是，我並沒有喚醒他們，更沒責備他們。我怎忍心責備他們呢？十四五歲的孩子，早上八點鐘就要在工廠裡不停地工作，下午六時剛下了班，連晚飯還沒到肚，又趕來上每月只需交兩塊錢學費的課，難道他們連疲倦的權利都被剝奪了嗎？

「惠芳，幹嗎？今天老不高興的樣子！」她本是個最留心的學生，可是今天有點反常。

所以，我必須問問。

「今天在廠裡跟工友吵了嘴。本來，我就很少和她們打交道的，但今天她們倒犯到我頭上來了。她們叫我別做傻瓜，在流行讀英文夜專的當兒，竟還讀些甚麼中文小學。她們說讀了英文才有前途！不像我們小學畢業了也沒人承認。她們居然連你們也罵上了，說你們辦這所學校的也是傻瓜。你說我氣不氣？」

罵得正好！誰說不呢？十多個大學生，兩手空空的，卻在這英專林立的地區，辦上一所不依會考程度的中文小學。由校長至校役都由我們自己擔任。沒有薪酬，還得自掏腰包吃晚飯——分明就是一群傻瓜！奇怪的就是還有一群傻瓜學生肯來；這樣，房租和雜用都可以勉強支持下來了。

這是一個美好的夢！你們的美夢通常是怎樣完結的？我的美夢，是給一股力從後推一把，破了……

他不是甚麼面目猙獰的魔鬼，而是很正常的一個人，問題只發生在：我們有的傻勁他沒有，他有的一幢房子我們沒有。他有很多好的理由加租，有的學生也有理由的走了，教師也有一部分有理由的退出了。我記得有個像樣的結業禮，但當我還來不及看清楚誰人在流淚的時候，我的夢就破了！

這是個很簡陋的夢，但畢竟是個美夢，正因如此，當它匆匆的破滅後，我依然有無限的留戀與惆悵！

——刊一九六七年三月十二日《新聲》雜誌，作者署名莫桓。文題旁有小題：「人類並不因夢的易破而再不造夢。獻給曾造夢的一群傻瓜」。

參

❖ 我早忘了此文了。是真實敘描。那是我大二那年，去新亞夜校當義工的紀錄。

一九六二至一九六三年，中文系同學謝正光說新亞夜校欠老師，問我可不可以去教兩或三晚。那時候，由農圃道新亞書院去深水埗桂林街，交通十分不方便，晚上更麻煩，但因為辦新亞夜校是師兄們一種新亞精神的光榮傳統，我認為應該去，就答應了。當年香港政府全不關顧社會福利，童工甚多，深水埗、近長沙灣一帶，有許多小型、中型工廠，童工想識點字，也沒有學校可去。新亞夜校就為這群孩子服務。

當年同時的同學除謝正光外，還有鄺健行、梁鉅鴻……

噢！寫到這裡，我才全程進入幾乎忘記了的回憶中。我何故多年沒提過這件事？那個叫惠芳的女學生姓胡，還帶著弟弟來上課。當年學生年齡、程度參差，人數不多，我們同一課室，同時有兩班：兩行小學一年班，另兩行小學二年班。老師半堂各教一些課。教一年級時，二年級學生做功課。如此輪流上課。

我忽然記起其中一女生，她年紀最大，後來離開夜校，還會找我。哎呀！此刻我竟記不起她的名字。她好慘，被管工頭污辱了。沒有人援手，我曾叫她去問社會福利署，沒下文。最後，她精神失常，進了青山醫院。

——作者憶述，二〇一九年四月十四日電郵。

❖ 證

一九五二年春，在桂林街新亞書院的學生宿舍裡，幾位同學正剝著花生閒談。是誰先起了個創辦義校的念頭，便一唱眾和，積極地籌辦起來。開辦費就由當時參加創辦的同學捐出來，其餘辦理註冊手續，著手招收新生等事宜，各人分頭進行，於是夜校在那年的春季便開學了。在夜校服務的教員，都是書院的同學，大家都是義務任教，初期每月只給回三元車馬費，稍後亦只加至四元，六元不等。但許多同學都把這些報酬捐了，樂意服完全的義務。夜校的學生，大都是深水埗區貧苦工人子弟，他們父母不但不能好好供給他們，而且還要他們做工補貼家用，不論男童女童，不論在家入廠，只要可以賺一毫幾分也好。由於工廠七時才放工，所以不少學生飯也不吃便回校上課，待晚上九時許放學，才回家吃飯。我們面對的是這樣在苦難中煎熬的兒童，我們便不能不多盡一點力。於是除設有各種免費獎學金外，先生們見得孩子們委實買不起書本，自己掏出點錢來，也就很自然了。

——唐端正〈艱苦掙扎中的新亞夜校〉，見一九五八年十一月二十四日《新亞生活雙周刊》第一卷第十三期。

朗誦的懷念

下面這些句子好歹是它撩撥出來的！

快活谷體——

母親：撞鬼你咩！一番嚟就喊咁口！財神見你都運路走呀！

女：阿媽，鬧多幾句㖭啦！先生都係用咁嘅方法嚟同我地培養情緒㗎啦。重有兩日就要出去比賽咯，先生叫我地加緊練習吓，先至有希望嘅喎！（苦埋口面）死——別已——吞聲——

母親：啋！大吉利是！

唐宋八大家文體——

少年不識愁滋味。為賦新詞強說愁。愛上層樓……

是耶。非耶。是也。非也。蓋少年者。十四五歲之佳麗人也。如春花。如朗月。何愁之有。故少年不識愁滋味。乃云是也。又所以言其非者。蓋於「為賦新詞」四字。今有少年一群。終日談愁道苦。既非了悟愁味。更無新詞可賦。深究其因。

竟為朗誦舊詩。迫上舞台而已。故云非也。

三十年代新詩加現代詩體

你再不用想我說話，
我的心早已沉在海水底下。
你再不用向我呼喚，
因為我已再不能回答！
除非，除非朗誦比賽完畢，
在這毛管聳動的又一世界，
等評判評判的一刻哄動，
你我來交換你我的驚歎！

語錄體

——抗議！抗議！最最強硬的抗議！
你們如此欺負我們，這是要認真對付的！我們決定全體投入獨立陣線，堅決地站立起來，抗議到底！

毛管造反有理革命小組製

話說一日，閻王閒來無事，降下雲頭，巡視世間。行到一處地方，只覺怪風陣陣，傳來似哭非哭、似笑非笑之號聲，不禁疑雲驟起，乃傳命判官小鬼，直往怪風起處探個究竟。待得一盞茶時分，只見判官小鬼用鈎魂索帶住一人來見，狀甚斯文，實非作奸犯科之流。閻王恐小鬼一時糊塗，誤鈎良民魂魄，於是急急細問。那小鬼也不慌不忙說道：「大王容稟：小鬼下降凡間，只見怪風起處，聚有無數十四五歲小姑娘，個個面帶愁容，依呀號叫。小鬼乃用透心鏡一照，卻見彼等內心十分快活，毫無愁苦，想必是誤中邪風。正欲追問，忽見此人，指手劃腳，小姑娘即隨聲同號。小鬼眼見心明，於是把她帶返，以便大王定奪！」閻王聽罷，勃然大怒問道：「何人斗膽！竟敢用妖法迷人？給我拉出去，打入十九層天堂受苦！」只見那人面白口戰，忙忙哀懇道：「大王饒命！大王饒命！小人不曾用甚麼妖法迷人。」閻王道：「還敢強辯！」那人道：「不是強辯。大王容稟：小人不是用甚麼妖法迷人。小人方纔正在訓練學生朗誦詩詞，教彼等用表情反映詩意，剛稍有成就，就被小鬼大哥一把拉來，小人實在無辜！望大王開恩！」閻王見得那人陳詞懇切，不似謊言，乃命判官翻查生死冊。不久，判官回報，那人果是一等良民，閻王方息雷霆之怒，但似有不解之惑，故又問道：「你教學生何種詩詞？」那人知道大難已脫，於是謹慎回道：「小人教他們杜甫夢李白二首，李清照聲聲慢一闋。」不料閻王聽了，竟又怒將起來：「哼！學生年紀不過十四五六，正是天真一片，竟強迫他們誦讀如此哀苦之詩詞，此之謂謀殺天真，死罪雖免，活罪難逃，來人！給他八十大板，然後發回凡間。」只見那人正欲申辯：「冤枉！不是小人創出來的……」閻王已揮袖而去，小鬼手起板落，打得那人金星直冒。

唐詩體

人本愉快有笑容
奈何今夕怒意濃
若非朗誦台上見
會疑仇人狹路逢

——刊一九六八年三月二十九日《中國學生周報》819 期第十二版「快活谷」，作者署名荒唐生。

為中文教育提供一點精神和方法

三年來，我有滿肚子話要說，可是想了又想，始終沒說出來。第一年踏上教壇，除了戰戰兢兢，把自以為準備得十分充足的課，變成天一半地一半推出之外，要說的話當然是幹勁衝天的理想，從書本中抄來的教學目的，間中也會有被無法應付的頑皮學生氣得死去活來的賭氣話，這些傻話真是不說也罷。但我也不止一次遇到教書教了一把年紀的老前輩，冷冷地搖頭說著：「教到化，教到怕」的那種淡漠神情，我實在怕再過一些日子，自己不幸也淪於欲說還休的「化」境。因此，我必須把握現在，把三年來所想的說出來，希望能獲得多點鼓勵和意見，使我在未來的教學歷程裡，就是沒有改善，也不至沉淪得太快。

桃李滿門的方法

去年暑期，有一套很受人歡迎的電影：「桃李滿門」。青年們總會哼上一兩句它的主題曲，而有些當教師的也樂了一樂，因為難得有人如此歌頌自己那職業（事業）的偉大。這電影感動我的片段，不在學生難捨老師，或老師毅然撕毀高薪合約的情景；而卻在老師把所有教科書爽快地向廢紙箱一扔，然後對頑皮得可以的學生們說：「好！讓我們來談談你們關心的，想知道的問題吧！」於是，起初學生發問了許多挖苦的問題，漸漸竟認真起來。然後，老師開始帶著鄉巴佬似的學生去逛博物院，然後，學生漸漸受感動，改變了。我們不必去研討頑皮學生是否真的如此易受感化，但箇中的道理卻十分真切，那就是我們必須和學生談他們關心的，想知道的問題。

雖然，我們有著重重的桎梏，如定好的課程、會考的擔子，絕不能像那教師把課本輕鬆的一掉了事。不過，只要我們有心去談，依舊有許多機會。舉個例子說說：歷來，論語、孟子是學生最討厭的課題，他們總有個印象：孔子孟子都是板起面孔說教的害人精，道理精深，使他們似懂非懂。句子不是瑣碎就是冗長，累他們默書時叫苦連天。這毛病多出自老師們的教法。有些是依句解字，孔子孟子一律是之乎者也，沒有個性、沒有面貌。有些則堂皇搬出朱子集解，一一抄來，好讓學生再頭痛點，也唬得不敢作聲。到頭來，學生就認為孔孟都是二千多年前的鬼魂（或神聖），他們說的話與現代是脫節的，所以要讀，只不過課程規定而已。但假如老師們能把孔孟仍當是個有血有肉的人，所說的都是我們懂得的道理，可以用目前的事例、思想去印證或反駁，引導學生找出在日常生活經驗所得的例證，說明孔孟能做的，我們都能做。有些道理，因時勢改變，現在真的說不過來了，也應引導學生尋出證據去反駁——告訴學生必須思考與分辨，作有理性，有證據的反駁。使學生明白自己是個獨立的人，可以正確分辨理論，然後接受或拒絕。這樣，他們對孔子孟子的道理，要服便是心服口服，如此，孔子孟子才真正影響他們。

試想，當年朱夫子不過以宋朝人的口吻及觀點去解孔孟思想，我們何嘗不可以用現代香港人的口吻去解它？學生可以不關心春秋戰國宋代，但必會關心自己所處的時代與環境。老師們若能處處記著：由古推到今，使學生在比較下，明白古代是如何，而現代又是如何。既了解他們所關心的，無意中也記住了過去。這豈不是一舉兩得？除了課室裡，課外還可以利用周記或課餘閒談，去和學生談他們想談的問題。問題中可能有些很幼稚、很抽象、很瑣碎、很成熟。老師們都不要大驚小怪，因為只要在學生心中，那是個問題，便值得細聽和討論。當然，老師不一定能解答所有難題，但必能使提出問題的學生感到：「他沒當我是個傻瓜！他畢竟分擔了我一部分疑惑和痛苦。」於是，老師便成了學生心中的朋友。更多的了解，促成更易的引導。所以，「談他們關心的，想知道的問題」是最好的方法。

赤鬍子的精神

以上所說的只是技術問題，但如何支持教師們去實踐這些技術，那就必須練好一副赤鬍子精神了。所謂赤鬍子精神，就是：愛與容忍及諒解。很難忘記：赤鬍子和祥微笑地，一次又一次把藥匙送到女孩的唇邊，而對人類不信任更帶憤怒的女孩，一次又一次的把藥潑去，終於她在赤鬍子的微笑下喝了第一匙治她病的藥。現代的青年們，太像那病女孩了。他們對人類的信心接近崩潰，對世界事物的不稱意發生憤怒。學生對教導他們的上一輩有更多的懷疑及反叛。不幸得很，當教師的便成了他們第一線敵人。教師的職責是指導，而不是毀滅。要指導便必須先化敵為友。這步功夫實在太難修煉了！教師還是被不分好歹的反咬過來，如此打擊，誰不生氣？一氣之下，放棄的有之，心狠手辣使學生永不超生有之。因此，我們非有極大的愛心不可。只有愛才可以支持我們一次又一次的振作起來，只有愛才可以感動瀰漫著憤怒懷疑的人們。這功夫不能成於一年，兩年，不能只成於一人，兩人。必須聚合許多人，終生的努力，那麼，世界還是有希望的。

又正因這世界實在太多憤怒，人們太崇信暴力，我們當教師的，千萬別再用「打」作為愛與教的方法。雖然，我如此說，一定有人嗤笑，以為那是迂腐的理論，因為許多學生只有在鞭打下才乖乖活著。但我們應該堅信：鞭打只能使他們暫時屈服，甚至無形中告訴他們：「大不了就是捱打，捱過這關，便甚麼都可作了！」以暴易暴，絕對不可行。

有了愛心、容忍與諒解，理想就很易實現了。因為有了愛心的支持，我們會更冷靜，更堅毅去了解和實踐指引青年人。青年人許多毛病不是與生俱來的。我們先問問上一代欠了他們甚麼，自己有沒有在事前教他們預防。例如：許多教師大力反對學生看瓊瑤依達的小說，甚至有些學校查出學生看這類書，便記過責罵。無可否認，那些小說的確不適宜學生看，但在責罵之前，我們有沒有想過，在目前有多少適合學生年齡所需的小說？有沒有向學生剖析這類小說不好看的原因？所以，對學生無知誤犯的過錯，適量的容忍與諒解，遠較責罵有效得多。當然，在容忍和諒解之後，必須跟著下善導的功夫，否則，便會流於縱容。

極頑劣的學生到底還是個人，只要我們深信他頑劣不是天生，肯付出更多的時間、愛，和努力，他終會被感動的。可是，這不是一個教師的力量能完成，應是全部有份兒教他的教師共同努力。我永不忘記，費了不少時間心血才使他開始動心改過的一個阿飛學生，在某主任的一聲「禽獸不如」和兩個耳光的功夫下，憤然離開學校，當個正牌爛仔去。這個情況，我不應只怪那學生不長進，更應怪有些教師的愛心太淡薄。

為未來一代努力

也許，有人看了以上兩段文字，很不服氣，認為我唱高調，或是個沒捱過教書生活的理論家。又會提出許多道理來，例如：升中、會考等等形成了教育制度不健全，社會風氣的敗壞……這都不是教師所能力敵的。無可否認，我們面臨的全是難題。但正因如此，我們必須加倍小心和努力修養自己。除學養外，還需要責任感、愛心、諒解、容忍……自己必先是個人，才有資格教學生成為「人」。況且，教育制度只是不健全，而非壞到不得了，我們還有可以用力的地方。社會風氣是由人形成的，上一代壞定了，我們只好從下一代著手。時間是要長一點，卻非無可為。話說起來像太天真，但我希望在仍有精力的日子中，帶著天真去幹一番。太多青年教師在營謀買屋購車，麻雀狗馬，爭名逐利，才是個大絕望！讓我們在批評制度風氣之外，首先努力教育自己！

我常聽青年朋友們慨嘆生於今世，無事可為。既不能像八年抗戰那偉大時代的青年，背起槍桿，昂然跑入太行山去，敵慨同仇打日本鬼子，作有意義的死去。又不屑無知的被人指使去當擲彈的愛國英雄。於是乎，部分頹廢去了，部分天天聚在一起，循例憤慨指責一番，煞有介事，等到聚會一完，還是個個上床休息。其實，身處於香港的我們，對這年代的中國看得最透徹也最有資格向下一代訴說我們中國壞到苦到甚麼程度，因為我們既可看到珠江流來具具浮屍，又可知道海那邊查封拉人，腐敗一如當年。何況，我們還有適度的自由去做事，去修養自己，教導培育下一代，如此，我們必須好好利用，等到有一天，回到國土，還有些可用的精良種子。希望有志有才的青年們，少嘆氣，多做事。如寫東西的多寫點適合青年人看的作品，當教師的拿出愛心與忍耐，教青年們做個堂堂正正，會思想，會分辨是非，有責任感，有辦事能力的中國人。上一代做的錯事是錯定的了，就讓它們死亡，我們唯有做自己應做的事，免至下一代像我們現在罵人般罵我們，埋怨我們！更希望知道正有許多人在努力當中，和正運用許多好的方法，讓我們一同努力，更努力。

——刊一九六八年八月二十日《盤古》雜誌16期，作者署名小思。

為女性呼冤

導言

自有人類以來，不論中外，均有一種不公平的觀念到處充塞：就係睇唔起女人。儘管近代西洋大喊女人至上，骨子裡仍是劣性難改。似乎多疑、妒忌、無知、小器、自以為是、貪心、作狀，等等毛病，執埋一劑，就等於一個女人。而歷來無數文學家、哲學家、史學家、社會學家，都通通採取落井下石態度，無一肯仗義執言，使亙古以來，女性受盡冤屈。本人有見及此，心亦有所不忍，於是，打破事不關己，已不勞心之慣例，窮整日不睡之力，尋經據史，為女人呼冤翻案。願四方君子，有此宏志者，盍興乎來，共成此一壯舉，則為女人大幸。而女人若不懷疑我等如此作法，有任何不軌企圖，又不忘恩負義，他日必建碑一塊，以誌吾等今日之功，不亦快哉？

從聖經中考據所得

話說當日，上帝行行企企，突感萬分無聊，乃有做世界之念。於是，千萬故仔由此講起。其他不提，今日單表其中一個，亦係最重要一個。上帝做完世界，正想洗手不幹，但睇落重爭D嘢，於是，執齊材料，依著自己個副尊容，精心雕塑，終於整成個阿當。本來，如果上帝在此時罷手，世界就唔會有咁多事。最慘就係上帝當時回心一諗：「我孤零零一個，嘗盡寂寞滋味，難道又要阿當重蹈覆轍？」於是，上帝一動仁慈之念，就想照樣多做一個。可惜手邊材料不足，而又趕住番去瞓覺，只好求其將淨低嘅材料，再加上阿當一條肋骨（注一），做成咗個夏娃。此乃女人之來源。由咁睇嚟，女人唔夠男人咁叻，又有咁多毛病，實在源於先天不足，而「先天不足」又唔係女人自己想㗎。如此考據起嚟，女人就算真係有成籮壞處，都情有可原。追究責任問題，則上帝就責無旁貸咯。稍有理智，或冷靜之人，又點怪得女人落呢？

從論語中考據所得

孔夫子乃是我國第一等聖人，佢嘅說話又歷來被奉為金科玉律。只要抬出子曰乜乜，人家講半個不字，都可以用「離經叛道」等重大罪名壓死佢。因此，「論語」就成為戰無不勝嘅寶書。正因為呢本書咁權威，乃使女人蒙受咗二千多年冤枉。原因其中有言：「唯女子與小人為難養也，近之則不遜，遠之則怨。」於是，凡係讀過此書嘅男人，一見女人有D唔啱，或者受咗老婆氣，就一於搖頭擺腦，唸起語錄。將女人與小人同列，問你死未？其實，孔夫子講出此言，亦未必存心詆譭女人，可能亦係實情。理由安在？且聽我慢慢分析。蓋孔夫子一生，好處甚多，但始終撈極撈唔起，乃因小人當道，好人如仲尼，遂無抬頭之一日。則孔夫子受小人之氣多少可知，憎小人之情可想矣。故對小人必痛譭極詆，實乃正常心理現象，無可厚非。但何以又拉埋女人落水呢？理由亦好簡單：嗱！你幾時聽過人提起孔子個太太呀？孔子自己冇提過，史書亦更冇提過。證明孔子一向都唔重視太太嘅嘞！而佢重成日同埋班學生，一車兩馬，棲棲遑遑去周遊列國。一陣間又話爭D餓死，一陣間又擒擒青去睇個靚女南子（注二），搞到幾十歲至番屋企。你話如果你係佢太太，你會點樣？大量極都會怨兩句啩？呢，咁孔夫子就話女人遠之則怨嘞！久別重逢，自然親熱D問長問短，一下唔記得佐舉案齊眉等等規矩，亦都唔奇呀！嗱，咁孔夫子就話女人近之則不遜嘞！如此說來，孔夫子冇講大話。錯只錯在冇注明提及之女子實在只限於佢太太一人而已。但此一錯，遂成為千載以來，男人睇唔起女人之最大藉口，都咪話唔陰功咯！

從歷史中考據所得

提起歷史，更加慘情。凡被史家大書特書嘅紅顏，必是禍水無疑。其實，只要身為男人嘅史家肯客觀D落筆，則個個女人都十分可愛，可憐。禍水唔係佢地，係男人至真。

例如褒姒就係個好例子。褒姒唔鍾意笑，唔係罪過呀！佢又冇叫幽王放火。係幽王唔衰攞嚟衰啫！何況，幽王咁大個男人，都生唔埋腦筍，搵D咁嘢嚟玩，就抵佢死啦！但係史家竟然唔放過褒姒，咁都咪話唔係存心靠害！

總結

通過上述考據，足見女人就算有林林總總缺點，都係源於先天不足，我地應該大量D唔好怪佢地。嗱，我唔理咁多，我用左咁多時間嚟為女人翻案，如果你地重係咁衰要鬧女人多疑、猜忌、小器……我就喊㗎嘞！我唔制，我唔理，我鍾意你地話女人叻，話女人好。唔話個個好衰嘅！（注三）

注一：據粵語中有「冇腰骨」一語，即不負責任之謂，實為「唔夠肋骨」之誤，且應用於男人身上方合原意。

注二：當日孔子去見南子，實情如何，今均不可考，但睇嚟孔子俾個學生係咁依問兩句，就慌失失到指天篤地猛咁誓願，明明作賊心虛，冇嘢就假咯！

注三：此「結論」語氣用詞太似女人，大概因本人接觸女人機會太多，日積月累，被佢地潛移默化咗都唔知。為避免谷友誤會，合該刪去。

——刊一九六九年一月二十四日《中國學生周報》862期第十二版「快活谷」，作者署名荒唐生，題旁另有小題：「快活谷考據學」。注為原文所有。

論「飛女正傳」與恨債血償

無可否認，「飛女正傳」是一部很像樣的粵語片。它深切地、關心地接觸了許多社會問題，也客觀地剖析了其中一些問題所以產生的原因，所以，平日不大看粵語片的人都去看了。人們都說那電影很感人，這是它的成功。但正因它能感動人，背後便隱藏著一個可大可小的危機，這真夠令人擔心了。因此，我在這兒提起它，並不像影評家般去討論它的攝影技巧和導演手法，也無意跟人家唱反調，專向成功的東西剔毛病，而是關心這電影的正面含意被歪曲後可能引起的後果，和關心無意間被它反面後果影響了的人們。

我們都了解，訓世不是電影主要的責任，所以我們無法要求電影製作人負起甚麼拯危扶傾的擔子。更何況，極正確的東西，還是有負面作用，而這種反效果，恐怕也不是事前所能預料的。例如：「飛女正傳」的中心思想，也是想告訴青年人不要意氣用事，千萬別走歪了路，否則後果將會悲慘而無可挽回。但試想想，那為了復仇才逃出來的三個少女，留給人們甚麼的一個形象？當半個破酒瓶插入在公寓中鬼混的飛仔身體時；當一柄餐刀狠狠戳破「炒飛仔」的胸口時；當木棒、鐵鍊、尖刀齊攻騙財騙色的壞蛋時，在電影院裡的人們，關懷與擔心的竟是殺人者，而不是被殺者。坐在我後邊的一個觀眾就在蕭芳芳遲遲不敢下手的當兒，大嚷：「快點動手呀！殺啦！殺啦！」彷彿就要親自趕上銀幕去助一臂之力的模樣。所以，儘管編導安排了她們三人都有一個悲慘收場——死了、瘋了、被捕了，可是，卻完全無法掩蓋預先造成的英雄形象。觀眾心中，她們的死、瘋、被捕都是轟轟烈烈，而她們也像毫無悔意。也許，有人會說，我們中國人看小說、電影，都先辨明忠奸，壞人在最後必須死，好人必須團圓，這才大快人心。而且，殺死壞人更是英雄的本分。既然那三個都不是好人，殺掉了也是天公地道的事——甚至，可以拍拍胸膛說上一句「替天行道」！但仔細想想，那三個被殺的人是否真的犯了「死罪」？他們的確不應玩弄女性，可是，若女性本身立志堅定，不貪圖一時歡樂，壞透了的男人還是無法下手的。（薛家燕對弟弟說的一段話，可以證明女性也該負部分責任，誰叫妳跟人家去玩呀？）自己心甘情願在先，悔恨了便把罪狀全推在人家身上，殺之洩憤，未免不公平吧？電影本來要向觀眾傳播：「不要隨便，錯了便無法翻身。」但觀眾能接受到的卻是：「他壞，幹掉他！」這就是一個危機！

近代電影崇尚暴力，銀幕上一片刀光血影，已是夠怕人的了。還要不分好歹的「歌頌」殺人者，像「雌雄大盜」，真不禁叫人膽震心驚！當「飛女正傳」上映後不久，銅鑼灣發生一宗慘案，作女兒的提起手鎗，一連三鎗把父親殺死了，我無意說這是受「飛女正傳」的影響，而只想說「他壞，幹掉他！」的觀念可怕！不知在甚麼時候，這世界的愛變得如此稀薄。人總不肯反躬自問，總不肯量度別人環境，總不肯寬恕別人。只妄信「血」可以洗滌一切不平與不幸。於是，處處血跡斑斑。其實一個人的血有多少？流盡了恐怕也無法抵償你的損失，也無法掩蔽他犯的錯誤。何況，人體是如此纖弱，武器是如此精良，令人流血根本不是件難事。人家一死了之，甚麼問題都可不聞不問，但殺人的得到些甚麼？先前的問題並不因殺了人便解決掉，反而造成另一個更大的難題。這就是英雄行徑？也許，在許多人心目中，甚麼博愛呀寬容呀，都已是個古老而落伍的名詞，但，請相信：令人家流血去解決自己的問題，豈不是更古老落伍而又不文明的方法？

——刊一九六九年五月十六日《中國學生周報》878 期第十版「青年與社會」，作者署名小思。

❖ 證

〈飛女正傳〉電影廣告，見一九六九年四月四日《工商晚報》頁四。

為甚麼路上談?

我一直相信，青年人有許多話要說要聽。但除了大夥兒上天下地嘩啦大談一頓外，總有些話只想向比自己年紀長的人說。可是，爸媽又不慣做聽眾，哥姊又自顧不暇，於是，話都吞回去，化成一股悶氣。

我當上教師後，便自告奮勇，要作青年人的好聽眾，也想從了解中，告訴他們許多應聽的話。好啦！一大堆傻得可以的事情就出現了。首先，我安排班裡的同學，按天來教員休息室和我談談。你猜，我這番好意惹來甚麼後果？膽子小的，聽見「召令」一下，早已魂飛魄散，待得進到休息室坐下，已變成個啞巴，全部採用點頭搖頭代替一切言語。到頭來，我就像個自說自話的傻瓜。膽子較大的，老早準備一套「官式」答話，在應對如流的局面下，我卻一無所得。有些倒願吐吐苦水的，但大概觸到傷情之處，話還未說，淚水早就流呀流的，旁人看來，活像我在用酷刑逼供。時間花了不少，學生如獲大赦般走開了，我說的話一句也沒聽進去。而當我苦著臉，感到吃力不討好的時候，往往還會聽到人家問一句：「鬧完人嘞！」禁得住不生氣才怪！幸而，時間作了最好的見證。慢慢，我對學生了解更多，而學生也開始相信我了，我們談及許多問題。可是，始終還是覺得有些不對勁。毛病在哪兒？我也想不透。

一天放學的時候，有一位同學跑來說有些事要跟我談。我也依照慣例請她坐下。奇怪！她坐了老半天，卻開不了腔。最後，看來還是用了很大的努力，才拚出幾句話來：「唉！一坐下來，就有去看醫生的感覺，也像受審的味道。先前滿肚子話，都逃得無影無蹤。」噢！我完全明白了，原來毛病就在場面太嚴肅，欠缺許多自然氣氛，人家要對我說的話被冷得凝住了。我那本來要人聽聽的意見，也生硬得有如一堵牆，她們無法投進去，得不到甚麼效用。於是我連忙帶她到植物公園去，這才發覺，路上談，再自然沒有了。

現在，在我們的面前，還有一段路要走。這段路說長不太長，說短也不太短。有時也許會寂寞些，想找個聲音，就讓我們結個伴兒，一同上路吧！在麗日藍天之下，淒風苦雨之中，邊走邊談，不要太嚴肅，卻得誠懇。讓我們「路上談」，談我們關切的要幹的事！

——刊一九六九年五月二十三日《中國學生周報》879 期第十版「青年與社會」「路上談」專欄，作者署名小思，為「路上談」的首篇。

向填鴨告別

不知道在甚麼時候，哪個聰明人或受害者發明了「填鴨式教育」這精采名詞，於是，許多同學飽受屈氣之餘，也情不自禁地填鴨填鴨自稱起來。（同學們請別生氣，不是我胡言亂道，在作文簿裡，就可以找到無數例證。）最初，看在眼內，萬二分不是味兒。後來靜心想想，倒也覺十分貼切。天氣熱得要命，乖乖捧著大堆筆記厚書，目不斜視的啃，的確像邊烤邊填的鴨子。如果第二天考試堂中，能依樣搬運，搏得個滿意分數，那還是隻像樣的北京填鴨。若坐在試場裡，口定目呆，銜筆搔首，昨夜讀的恍惚在腦門前飄飄蕩蕩，但又隻字捉不住，等到交卷時才搥胸頓足嘩啦不已的，那就倒霉得像大牌檔上倒吊著的吹水鴨了。

我生平最怕鴨。（不要說吃，連遠遠嗅到絲毫鴨味，也得掩鼻疾走。）在池中河上游來擺去的鴨子，還可老遠欣賞幾眼，吹填得脹脹的死鴨，一看便要反胃。閉上眼睛想想，若要我天天對著滿堂填鴨，那非提早告別世界不可了。所以，我以為稱學生為「鴨」，無論對人對己，都是件殘忍的事。

雖然，功課多得壓死人，考試制度有毛病，都是製造填鴨的主要原因。但當不當填鴨，我們還有很大的自主權。平心看去，在同一制度下，仍有許多不是填鴨的人，就是一個有力的證據。功課多，時間不夠嗎？這與我們是否懂得分配時間及能否集中精神很有關係。當然啦！洗把臉要花半個鐘頭，吃飯洗碗要一個鐘頭，煲「電話粥」又半個晚上，或對著書本便魂遊四方，半條幾何沒有證完，又跑去看個電視節目，如此下去，就是一天四十八小時還是不夠用。考試制度不妥嗎？其實會考範圍之外，我們還有許多許多自由活動及知識可以爭取，問題只在乎我們願不願睜開眼去看、運用腦袋去想去消化、動四肢去實踐而已。課外書報，好的電影，生活環境的四周，交處的朋友……都能供給我們無數的「活」知識。可是，有許多人就自願只讓會考「範圍」填，對於其他東西，一概是視而不見，聽而不聞。世界是開放著的，我們可以看可以知的事物真多，我們不應自我關閉起來。「自製填鴨」對自己只是一種侮辱！

好了！萬一在平日裡，功課真的使人吃不消，現在暑期快到啦，就別再「自製填鴨」了！盡量跑到課室以外去看看，反正，為青年人準備的暑期活動很豐富。最後，更希望當爹媽的不必孩子據理力爭，也盡可能讓他們到外邊走走。把孩子當寶般鎖在屋裡，已經不是頂安全而有效的辦法了。

——刊一九六九年七月四日《中國學生周報》885期第十版「青年與社會」「路上談」專欄。

一九六九年

她該是個很甜很美的女孩子

她該是個很甜很美的女孩子。還不到十六歲，蘋果臉，說起話來眼睛總帶絲絲微笑。歷史科演講比賽她參加了，怯憐憐的站到台上去，說的竟是五四運動精神。這個女孩子，我認識的。你猜：她現在應在那兒？

一天，那對倒霉而又可憐的夫婦跑來，焦急地訴說他們的女兒失蹤了。我記不清他們凌凌亂亂的還說了些甚麼，又交出一封女孩子離家前留下的信，抽出來，只看到：「我受不了苦悶，所以……」我就把信放下。又是苦悶！唉！又是苦悶惹的禍。也許，我得先相信她真的苦悶，但，從家裡跑了出來，是否就能擺脫苦悶？事實告訴我們，她好可憐，因為她並沒有把苦悶扔掉！據說，她以為扔掉了的，只為她找到了「愛情」。我不能也不敢對「愛情」下定義，可是，絕對肯定不是男女手拖手、逛街、上電影院、天天對在一起，甚至造愛，那麼就能稱作「愛情」。何況，算是真正的愛情，也未必可以完全掩蓋人類與生俱來的那種基層寂寞，我們又怎能輕信浮誇的情慾，可以祛除苦悶？

終於，警察把那堅信愛情是一切的女孩子和她的男朋友找到了。因為都未成年，所以，先分別關進感化院，再等候審訊。當審訊日期定了下來，我幾乎沒有細想，便決定跑去聽審。可是，到頭來，我沒有去。有人以為我是為了怕女孩子看見熟人難過不去。其實，我全為了自己。這些年來，我一直固執著一個信念：人性本善，如果犯了過錯，那必是後天的沾染，即是說社會家庭學校都要負責——事先的預防和事後的糾正。沿著這個信念，更天真的推理下去：社會風氣是由人構成，而香港人口中，年輕人佔了百分之五十以上，只要目前把青年人教好，那社會風氣已經好了一大半。再過二十年，等他們都成了家長，依法再教好下一代，於是，就全好了。天曉得，如何我一把年紀，居然幼稚得如此可憐可笑。等到報上的青年犯罪消息，愈來愈花樣百出，愈來愈大佔篇幅時，我就像跌進水裡，而又雙腿離地，我要拚命拯救自己。首先，埋怨社會家庭不但沒有合作，相反的竟時加阻力。然後，把犯過的青年人數目和人口總數相比，如此看起來，便不算太多了。況且，那些人中，又沒有我認識的，自然不會有「切膚」之痛。這種想法，雖然有點鴕鳥味道，但我的「信念」也就如此保存下來。可是，如果去聽審，那個我認識而又關懷的女孩子的每一句話，都足以把鴕鳥的頭從沙裡提出來，看清楚自己的傻和獨力的孤單。我寧願自私點，把這件不幸事推得遠遠，矇矓得像個虛構而又俗套、不必記得的廉價流行小說。

可惜，沒有去聽審，並不代表我真能把這事推開，因為我依然記掛那女孩子。她該在甚麼地方？家裡？感化院？除了她，還有許多失蹤少女，現在正過著怎樣的生活？面臨這些真實的不幸，我們畢竟鴕鳥不得。但以後的日子，我該如何用力，我還不懂得！

——刊一九六九年八月一日《中國學生周報》889期第十版「青年與社會」「路上談」專欄。

由辭郎洲的演出看雛鳳鳴劇團這些小傻瓜們

一九六九年

日期：八月八日至八月十四日

地點：香港太平戲院

香港的粵劇真要沒落了嗎？我們就看看雛鳳鳴劇團的努力吧。

問：香港的主要常用方言是甚麼？

答：粵語。

問：廣府人在香港佔全人口百分之幾？

答：佔全人口百分之五十三點八。

又有誰想得到，就在這個以粵語作為主要常用方言的地方，在這個原籍廣州近地的人佔了全人口百分之五十三點八的城市裡，最具濃厚地方色彩的「廣東大戲」，居然有點奄奄一息的模樣，那真是值得想想的問題。

就一般情況來說，知識分子，尤其青年一輩，對於粵劇真好像已經達到「鄙棄」的程度了。許多人對京劇、越劇，甚至黃梅調，都津津樂道，有時也會以票友身份，清唱一兩段，別人亦總以古雅視之。可是，如果有人談粵劇、唱粵曲，人家就覺得那是件很「土氣十足」的事。在一個公開場合，人們可以天公地道的唱歐西歌曲、時代曲、藝術歌曲，卻絕少唱粵曲。偶然有人唱了，只要冷眼旁觀，你會發現許多古怪而又令人不舒服的表情反應。最近我去看「辭郎洲」回來，許多人知道後的第一個反應，是驚訝而又莫名其妙的說：「乜話？去睇大戲！」直像我幹了些好不該幹的事一般。這些事例，就算不足以說明粵劇的被鄙棄，也足以證明它在香港的不普遍。

上一輩的人，還會為已成的愛好，或是心愛的老倌去看粵劇。但當這群人過去之後，下一輩便毫無理由去看粵劇了。但我卻時常感到，粵劇一定有它存在的價值，如今要它委委屈屈，在難登大雅之堂的情況下逐漸沒落，這實在是很不公平，很令廣東人難過的一回事。

看了雛鳳鳴的「辭郎洲」，更使我禁不住有滿肚子要說的話。得首先聲明：我不大看粵劇，更不是個戲迷，所以絕對沒有甚麼偏愛。我也不是粵劇研究專家，所以絕對不懂得甚麼學理或專門名詞。現在我只是站在一個廣東青年人的立場上，說出自己對粵劇的一般印象而已。

粵劇觀眾的問題

首先，我們應該說說粵劇觀眾的問題。只要我們進過粵劇場，都可以發現觀眾的成分，多是珍姐銀姐、八太三姑，或是拖男帶女的普羅大眾，我真懷疑他們對一些文縐縐的曲詞，能懂得多少！不過，這對他們當然不成問題，因為他們要看的只是心愛老倌，要知道的只是全劇大概情節。但是對於一個不是珍姐銀姐的人來說，看到粵劇場的凌亂情形，就足以使人望而卻步。近年來，總算大有進步了，至低限度，在你專心看戲的當兒，沒有售賣零食的人，在面前晃來晃去。可是，看「辭郎洲」的那天晚上，我還是遇到一些令人啼笑皆非的場面：看得半途，後座的一隻大腳板，居然老實不客氣的「騷擾」及我的肩頭。隔鄰的那個老媽姐，看到第二場才發覺「原來唔係任劍輝、白雪仙做嘅？」於是，便大發牢騷，竟然向我「質問」那些演員是誰，彷彿是我「騙」她來上當的模樣，這大概應歸咎觀眾的教育水平方面去。由於粵劇一向總以如此一類的觀眾為多，許多受過教育的人，算是真想欣賞戲劇，也在可免則免的心情下，遠離粵劇場了。有時，我真為那些有氣質、有演技的伶人呼冤，因為去看他們的人都只是「愛」他們，而不是懂得「欣賞」他們的真正才能。慢慢，部分伶人也會自覺或不自覺地，變成一種「玩物」，從此不再用功，退步和墮落，便是必然的後果。

另外，就是粵劇工作者的修養和工作態度問題。不知道是因為觀眾教育水準普遍低，所以伶人或編劇者，都在有意無意間不認真起來？還是為了迎合他們的口味，非俚俗下流些不可？近年來，部分熱心提振粵劇的人士，亦早在這方面努力改善了，例如肯認真的排練、操曲，請專門人才去研究劇本內容等等，都證明他們正在用力。可是，依舊令人難以忘記的，是許多伶人，跑到舞台上去一站，便把台下觀眾當作傻瓜，隨便插科打諢，或不依劇情爆起肚來，或男女伶人無端打情罵俏，粗陋笑話引得低下層觀眾嘩啦大笑，卻使斯文人羞得不知如何是好。有過一次如此尷尬經驗，誰還敢去看第二次？真正喜歡看戲的人，總希望看到、聽到最精謹的造唱，和劇中人個性恰到好處的表現。一些沒有修養的伶人就不能滿足觀眾這些要求。我們隨時可以見到：唐明皇、賈寶玉、鄭成功、吳三桂、李太白……在某些蹩腳伶人扮演下，通通變成一個個性——就是那個伶人自己。這不由得令我想起越劇的金采風。她在「紅樓夢」裡分明是潑辣不凡的王鳳姐，可是到了「碧玉簪」，卻又是個楚楚堪憐的李秀英。高明的伶人就應該像金采風這樣，恰如其分的把劇中人物的個性鮮明地呈現出來，而劇作者也應用心去助演員一臂之力，不要胡謅亂扯。如此配合，效果才會使人滿意。

演出的場地問題

第三應該說到演出的場地問題。也許這難題不應由粵劇工作者直接負責。近年來，許多適合演出的場地都改作放映電影，合約規定了，就很難抽出空檔來演粵劇。後來連大會堂也拒絕租出，奇怪！怎麼演京劇卻不被拒絕！不知道八和子弟有沒有去追查原因？（也許是粵劇觀眾太不守秩序了！太隨意丟棄廢物或太喜歡隨地吐痰了？）於是，粵劇真愈來愈像難登大雅之堂了，只能退到「戲棚」去。「戲棚」卻往往給人一種不安全的感覺，環境氣氛都不易使觀眾集中精神去欣賞，這就未免大打折扣。因此，粵劇界倘若還要生存下去，就必須力爭一些適當的演出場地。

挽救粵劇是一條很長很苦的路

形成粵劇衰落的客觀因素，自然不止以上三點，其中也有無數困難和辛酸，是我們行外人不易了解的。而改善與中興，更不像叫幾句口號，或寫幾篇文章那麼簡單一回事。必須由有心者著實去幹，包括粵劇工作者的共同努力和觀眾的支持鼓勵，才可走過這一段很長很苦的路程。

勇戰的孤軍：雛鳳鳴

正由於要挽救粵劇是一條很長很苦的路，對於肯毅然走上這條路的人，我們實在應該佩服。在這方面，「雛鳳鳴」真似一支勇戰的孤軍。看見那群十來廿歲的「雛鳳」，在台上小心翼翼依著老師的苦心指導演出時，心中不禁泛起陣陣敬意，因為他們的老師，早在粵劇界有了很高的地位，為了薪火相傳，用心血去栽培後進，這份熱誠是很易理解的，但是這些女孩單為了「愛好戲劇的動機」，而投身於這個沒有十年八載苦學即不易爭取大量觀眾的行列中，那就令人非常驚異了。依情形看，她們絕不是靠演戲維持生活的，如果是這樣，怎可以四年才演出一次！何況，她們還沒有擁護自己的觀眾，因為她們的觀眾實在就是任白的觀眾。而且十多個陌生面孔一起上場，名字又全是劍呀雪呀的，觀眾未必分得清楚。那晚上，坐在我前後的人都紛紛亂猜，但我聽不到猜對的。這樣連印象也沒有，又怎麼談得上擁護呢？為了在老一輩觀眾心目中奠定地位、為了爭取年輕的新觀眾，除了雛鳳鳴本身仍須努力求進外，她們的老師還要多用點力：例如為她們選一個更好的劇本。「辭郎洲」的戲劇性本來不很濃厚，人物個性也刻劃得不夠透徹，很難使觀眾提起勁來，且不易對台上人物一見難忘。這戲本來有點像「楊門女將」，可是卻沒有「楊門女將」的高潮迭起，總給人一種「慢吞吞說故事」的感覺。又或者由於演員太注意唱造方面，於是只看到她們在「扮演」，而沒有「投入」角色個性中（只有江雪鷺在「馳救」一場開始，就有點楊秋玲的味道，一亮相便不同凡響）。這樣自然很難特別吸引到觀眾的注意力了。

這次看「辭郎洲」，除了看到一群人的熱誠和努力外，還看到典雅的顧繡戲服、聽到純中樂器的伴奏，都令人發生親切感。在大陸破壞古典戲劇的狂潮，和台灣不注重古典戲劇的流風中，但願留在香港的粵劇工作者，能夠不辭勞苦地承擔保存粵劇生命的重責，而「可以」作為觀眾的我們，也不要吝嗇一點點鼓勵！

你看一遍這些圖片，又看一遍這些名字，六個雪，三個劍，你能一眼便記住這些臉孔與名字嗎？唉，雛鳳鳴！長路漫浩浩啊。

——刊一九六九年九月十二日《中國學生周報》895期第十一版「藝叢」，作者署名小思。

❖ 證

一九六九年八月四日《華僑日報》頁十六：〈雛鳳鳴演「辭郎洲」　五日開始預售戲票〉。內文報道：「此次演出『辭郎洲』，由雛鳳鳴擔綱、龍劍笙、蓋劍奎、朱劍丹、江雪鷺、言雪芬、梅雪詩、呂雪茵、謝雪心等全部上陣，為保證此劇演出成功，任白親自指點之外，還不時邀得靚次伯、黃千歲、梁醒波等前輩親臨指導。……此次『辭郎洲』戲票售價，共分十五元四，十二元八，八元九，七元六，六元，四元七及二元四角七種，由五日開始在太平戲院預售。」

❖ 原文附照：六個雪，三個劍。

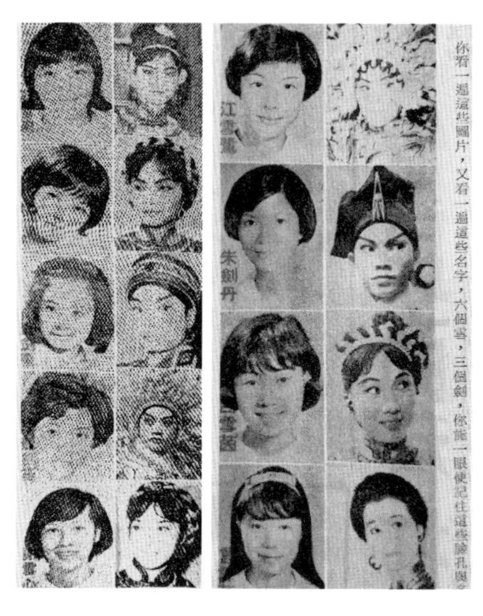

雛鳳鳴劇團・小傻瓜們・幾筆速寫

「路上談」的作者小思先生，本來是一家中學的國文老師，歷史老師，公民老師，同時也是一家

為甚麼會有這些速寫　編者

免費夜學的校長。一向，小思對於中國近代史和孫中山先生的生平事蹟，最為熟悉，同時由於工作的關係，對於能夠引起青少年興趣的一般事物，亦經常注意。上期預告「麥青、高小紅、徐小鳳三論」一文，就是作者很早答應過本版的編者，準備用比較嚴肅的態度，去看當今風行一時的時代曲歌壇之中，三個年輕的頂尖兒人物。臨時，好幾位對挽救傳統粵劇極有興趣的中大同學，發起了要去訪問「雛鳳鳴劇團」的孩子們，把小思也拉了去，於是「三論」只好延期了。這裡我們先為大家刊登七篇短短的速寫，讓讀友們看看，在這個社會裡，原來有著另一群十來歲的孩子，她們跟大家一樣年輕，但她們不唸中英算，不讀數理化，也不參加會考，卻選擇了一條奇異、艱苦的路，決心做傳統粵劇的接班人。台上的她們，很多人都看過了，那麼就讓我們看看，平日在台下，過著平常生活的她們。

同學們，可知道，在這個社會裡，原來有著另一群十來歲的孩子，她們和大家一樣年輕，但是她們不唸中英算，不讀數理化，也不參加會考，卻選擇了一條奇異、艱苦的路，一條大家永遠也不會去走的路。

前言　小思

——本來毫無準備要去看她們的，但她們的老師說不如今天就去吧，大夥兒就坐車上去了。一邊想：女學生倒接觸過不少，只是不知道天天在苦練的「小老倌」們，會有甚麼特別。該有點和常人不同的吧？可是，剛抵步，她們天真的笑容、對老師的尊敬、對客人的禮貌、不需老師吩咐自動去幹應幹的表現，通通使我大吃一驚。尤其她們的禮貌和尊敬態度，使我十分服氣地對她們的老師說：「我沒法子把我的學生教得那麼好。」

她們都盤著腿，坐在地毯上，帶了一面好奇和傻氣；笑瞇瞇、期期艾艾的回答我的問題。她們喜歡抓抓頭髮，望望自己的同伴，便莫名其妙地笑起來，和我熟絡一點之後，更在我面前幽默地互相取笑。那些面孔、那些神情，和我常見的學生一模一樣。

其實，怎會不一模一樣呢？她們也是學生啊！只是所學課程有所不同而已。她們不讀幾何、化學、物理、生物……。可是，老師們每一個眼神、身型，每一動指、投足、道白……都是活的課程。她們不必參加會考，可是，她們必須經得起長期的考驗，尤其在青年人都一窩蜂去愛歐美音樂、不愛自己故有戲劇的風氣中。

她們委實可愛，禁不住就要為她們寫上幾筆了。可是，同學們千萬別誤會，我不是娛樂版記者，更非為她們做宣傳工作，所以我著筆和取材的角度，都不是準備寫甚麼伶星生活花絮的模樣。我只想為這群孩子寫一幅速寫，好讓和我曾有同樣錯誤觀念的人知道：她們和其他許多好的青年一般，沒有染上甚麼壞氣習，只是她們選擇了許多青年人不走的路，而這條路又長又困難，我們就給她們一點鼓勵吧！

速寫一：謝雪心

——真不知道她怎樣分配詩間？既是拯溺員，又是游泳隊的代表，既是「雛鳳鳴」的成員，又是「實用英專」的學生。她居然說：「絕不影響我的功課！我會繼續讀下去的。」如此年紀，多讀點書當然是應該的，難得的倒是樣樣都應付得來。

加入劇團快三年了，算是唯一中途入伍的分子。可是，沒有同學當她「新丁」，看她們總是融融洽洽得很。

「英文學校裡的同學，對粵劇的態度怎麼樣？」「噢！許多人都認為粵劇是土氣十足的東西。但最近似乎又有了點改變。」「怎麼？有了改變？是因為妳加入了粵劇界？」「唔知啊！」

這句「唔知啊！」是她們的常用語。也是許多學生的常用語，我倒聽慣了。願這個粵劇界的生力軍，他日在考試場中，也有滿意的收穫。

「好啦！輪到妳了。」我的話一出口，她早把頭垂得低低。她的老師瞟了她一眼對我說：「喏！怪人團的團長。」

速寫二：蓋劍奎

本來，她是演花旦的，可是，人人說她臉生得闊闊大大，扮起生角來頂有威，於是，就改演生角了。但她的老師說：「看她神神化化，演丑角也自不錯。」對呀！她們當中是應該有人演丑角才對。不過，成功的丑生不易為，幸而蓋劍奎說甚麼角色都愛演，就該努力試試看！

「閒時，有看點書麼？」「有的。老師書房裡有許多書，有空時，胡亂也拿幾本來翻翻。」噢！是了！她住在老師家裡，自然有這個隨手翻書的方便。

這個怪人團團長，一定怪事甚多，如果她能一一道來，想必十分有趣。可惜，她只低著頭在笑，一點兒也不肯告訴我。

速寫三：言雪芬

這孩子整天在笑，簡直沒有一分鐘攏了嘴，難怪同學們叫她「大笑姑婆」。只可憐，平日笑得七顛八倒的她，在台上卻注定要扮老旦，不是穩穩重重，便是顛顛危危。人家指著她臉上的黑痣說她最好扮頑笑旦，因為裝扮起來會「八卦」得討人厭，她只呶呶嘴又轉過頭去跟同學笑了。

既然年紀輕，要演老人家，當然不太容易把握得住人物個性。可是，只要她肯用功，加上老師指點，還是大有可觀的。看看「楊門女將」的王晶華，就夠令人難忘！

我說：「當上了大老倌啦！有甚麼特別感覺？」「沒有呀！還不是那個老模樣？」是囉！她每天除了練功外，還不是一樣在家裡打理家務？不過，演完「辭郎洲」後，她卻多了一樁工夫要幹：剪報紙。現在已經貼好厚厚兩大本，全都是關於「雛鳳鳴」的。

速寫四：龍劍笙

——相信許多小孩子都試過這種玩意：拿支「雞毛掃」，穿上大人的長袖衣服，偷偷躲在角落學做戲。龍劍笙也這樣玩過，不但自己玩，還要迫妹妹跟她做起對手戲來。現在她可不必偷偷，也不必把大人衣服當水袖了，因為她有機會堂堂正正的穿起戲服，站在戲台上去演給許多觀眾看。

我問她：「人家怎麼會叫妳縮水任劍輝的？」哈！她用力抓了抓頭髮，吐吐舌頭，差點兒把頭也搖甩了趕著說：「噢！佢哋傻嘅！」看著她那十足的女孩子氣，就無論如何不應是舞台上雄赳赳的張達。於是問她：「妳怎不扮花旦呢？」她又吐吐舌頭才說：「我想演花旦想得要命，只是扮起來，直直硬硬像條柴，扮不來呀！」我還是想不通，同學管她叫「扭擰」的，怎會像條柴？

儘管我整天說她女孩子氣，說起話來聲音也女孩子得很，但文武生這角色卻做定了！她練功練得很勤，所以武打戲似乎不成問題。只是文戲卻有點擔心，因為年齡，生活體驗，都未足夠捕捉劇中人的個性。「所以，好多年前，初演賈寶玉時，就有些不知所謂了，只依老師吩咐扮演，沒有『入戲』……。」她居然一本正經地說，可是，當她老師一走近，又抓抓頭髮、吐吐舌頭打住了。

這個在台上一板一眼都不錯的文武生，和許多女同學沒有分別，平日練功，學不會或練不好時，就會嘩啦嘩啦哭起來。

速寫五：梅雪詩

——這個「阿嗲」真是名副其實。據說最初練功，連「櫈仔」那麼矮，也沒膽量從上面跳下來，你們說她「嗲」不？這般膽汁，怎叫她上高跳低，刀來槍往？於是，像命中注定般，毫無選擇要當定花旦了。

記得台上的她，聲線最響亮，隨口便問道：「練唱功辛苦麼？」「她呀！是愈唱愈精神，愈唱愈夠氣的，練唱倒難不了她。」她的老師帶著滿意的神色回答，而她卻只顧笑。

「你加入粵劇，是為了喜愛，還是為了可以接近自己崇拜的偶像？」她依舊笑瞇瞇的說：「兩樣都是原因。」但願這兩股力量，在提振粵劇的漫漫長路上，一直與她作伴，終抵目標。

速寫六：朱劍丹

——看名字，就知道是演生角的了。「也許，自己本來是女孩子，總感覺演花旦容易些。」說時的表情，直像不能演花旦是一大憾事似的。有甚麼辦法呢？誰叫她個性扮相都似男孩子？

「最初為甚麼會報名投考仙鳳鳴的？」「嗯，好玩嘛！又可以看見喜歡的任姐仙姐……漸漸，卻真的歡喜粵劇了。」

當然是真的愛上粵劇了，否則，怎會許多同期考入的人都跑掉，她仍留下來？

「你有考慮過未來的生活問題麼？」

「唔知啊！」唉，又是這一句！她們真有點不顧一切後果的傻勁。

速寫七：江雪鷺

——這個速寫很特別，因為那天我沒有看見她，後來只在電話裡談過一會兒。就憑她的語氣和談話內容，我大致鈎畫了一個舞台下的江雪鷺，究竟寫得對不對，留待有機會碰見她，再作證實好了。

聽她說話一本正經，謙謙虛虛，實在應該是她們一堆人裡的「大家姐」。應對的恰當，也使我不難想像她是個精明的老練的女孩。

據她老師說她是會寫文章的，於是，我便請她自己寫篇速寫，免得我瞎猜，寫得不對辦。「哎地，不行呀！我怎會寫？很久沒執筆啦，真不能寫呀。」她一口氣推辭了，弄得我也不好意思再「請」。其實，我想她是可以寫的。但願有機會讓她執筆，告訴我們，站在舞台上那些特殊的感受。

——刊一九六九年十月三日《中國學生周報》898 期第十一及十二版「藝叢」，作者署名小思。

參

❖ 遠在一九六九年，香港粵劇觀眾還沒認識甚麼「雛鳳鳴」，誰叫龍劍笙，分不清江雪鷺、梅雪詩的時候，我給她們的老師的認真所感動，寫成了可以說全港第一篇雛鳳訪問，並稱她們是「勇戰的孤軍」。以後，我看著她們流汗、流淚的苦練，看著她們由無名到盛名，看著她們羽翼長成，直到離巢各自高飛，我深深體會了藝術生命是如何的艱難成長，又怎樣艱難延續傳承。

談「仙鳳鳴」，是不是也該說一說雛鳳群呢？從前的雛鳳、今天的雛鳳，一條條不同的道路在她們面前展開，任、白的藝術生命，是生生不息、薪火相傳，還是勞者自歌，非求傾聽？

於是，一九九四年四月五日下午，有了這樣的聚會；仍在舞台上各自努力的梅雪詩、江雪鷺、謝雪心、朱劍丹，做時裝設計的鄭雪心，家庭主婦的蕭劍纓、馮婉儀。從「仙鳳鳴」到「雛鳳鳴」都一直投入的任冰兒、朱慶祥老師，當然，仙姐也在座中。不是訪問，不是聊天，各人心中都知道，今天是談雛鳳，但談雛鳳，能不說任、白嗎？一脈相承，話題沿著粵劇藝術而展開。她們回顧、她們前瞻，她們帶著淚帶著笑，聆聽老師們的貼心話。有講過無數次的難忘故事，有從未向人訴說的個人經歷。

整個下午，道不盡曲藝紛繁、人事滄桑，分手的時候，她們說：我們從沒有這樣談過。

當年寫過雛鳳七人，如今缺了龍劍笙、言雪芬、蓋劍奎。聚散一切隨緣，誰也作不了主。

二十五年後，雛鳳各有抉擇，我執筆再寫，也算對她們有始有終。珍重，珍重。

聚會裡，大家談興濃，卻未免有點零散，為提起重點話題，我們（伍屬梅、張敏慧、小思）往往作些不知情者的發問。下面就是經整理過的文字記錄。

——小思〈「雛鳳」二十五年後這樣說〉編者按。與「雛鳳」對話全文見《姹紫嫣紅開遍——良辰美景仙鳳鳴》第三卷，香港：三聯書店（香港）有限公司，一九九五年。

一九六九年

逝去的春風——敬悼左舜生老師

半年前的一個星期天，我把先生從午睡中吵醒，坐在那幽雅的書房裡，一談兩個多鐘頭。先生為我細細解說了好幾個近代史的問題，告訴我許多令人欣悅的生活瑣事，我也應許了先生幾件要做的事情。然後，先生說：「如果不太忙，多來這裡坐坐，還有許多事，我會對你說說。可是，要說的日子也不多了……。」然後，先生一身瘦骨把我送到門外。粗心的我，竟全然沒有察覺先生面容的憔悴，話裡的蒼涼。當先生病逝的噩耗傳來時，我才猛然醒覺，那言猶在耳的一別，就是永別。第一陣泛自心頭的後悔是：那天，我怎不回頭多看他一眼？

因為左先生是中國青年黨的領袖，所以許多人說他是個政治家，但他留給我的印象，卻是一個熱愛國家的讀書人，也是一個關懷青年人的導師。

記得三年前，我請先生為我們一群青年人講近代史，他竟毫不猶豫的答允了。是每隔一個星期天一次的。我也把我的學生叫來，於是，往往是上下三輩人聚在一起。他的親切和輕鬆，使我們聽得很舒服，也很易接受。七十多歲的老先生，從沒有給青年人一種「高高在上」的感覺，反而能像朋友般談得來，那必須具有一種與年紀無關的「真」。這「真」就像一股春風，吹拂著每個和他接觸的青年人，啟迪之力便在不知不覺中萌長了。

先生眼看了中國五十多年來的凌亂，可是，對中國前途的樂觀，和對民族的信心，堅定得使我們吃驚。當談到國家破析，國族多難的時侯，我們都覺得無可奈何，也十分灰心，但先生不止一次告訴我們：「不必怕，能回去的日子一定會來的。你們必須努力，多讀點書，修養自己，那時的國家，實在需要你們的力量。那日子一定會來的——我可能等不及了，可是，你們卻必定等得到。」如今他果真等不及了，但願我們真的等得到，也願我們多讀點書，努力修養自己。

先生的溫雅有禮，正是中國書生的典型。他對任何事情都一派慎重，待任何人都彬彬有禮，這更是我們所敬佩的。每次我到鑽石山惠和園去看他，他總會問及許多他認識的人的近況，那種殷殷之情，就夠使我感動。在凹凸不平，擠得滿是人車的聯誼路上，我總走得很慢，老是跟不上走在前頭，扶了手杖，健步如飛的長袍身影。先生總會頻頻回頭說：「小心點，慢慢來。路好難走啊！」是的，老師，路好難走，但我們會小心地，慢慢把該走的路走完。

春風已逝，竟等不及那個他堅信會來的日子！

刊一九六九年十一月七日《中國學生周報》903期第三版「生活・讀書・思想」「路上談」專欄。

證

❖ 一九六九年九月十五日《華僑日報》頁一：〈左舜生返台 將入院療病〉，內文報道：「青年黨五個主席之一左舜生，今天（十四日）由他的女兒左宗華陪同，自香港返國，並住入榮民總醫院就醫。」

❖ 一九六九年十月十七日《工商晚報》頁四：〈中國青年黨領袖 左舜生在台病逝〉

隙

近這幾天，班裡有個學生很不開心。她鼓了一肚子氣，儘管我說到甚麼好笑的話題，全班都笑了，就只有她沒笑。還有，那本來緊貼鄰座的桌子，不知道是誰動手拉開——讓兩桌之間出現了一度罅隙。看在眼內，我可沒有作聲，因為：我只有等待！

多年來，我對學生座位的安排，都有一定方針：在第一個學期第一段考之前，讓學生自由找伴而坐。於是，老友多在一起了。也許，有些老師會不贊成這種方法，老友碰頭，那還了得？不談個翻天覆地才怪！但我卻認為：新學期、新組的班，往往使人感到有點「人地生疏」，身旁坐個老友，隨時照應照應，多少給人一種安全感，適應力也會強些。何況，在堂上，學生心血來潮，真要說起話來時，哪還理會身旁的是甚麼人！老友不老友，也一樣照談不誤！如果老師有辦法把課室秩序控制得好，就是十個老友堆在一起，也不會有甚麼不妥。到了第二段考——有時也會等到第二學期，我便會很用心的給他們一次大調動。這一次呀！必定幹得天怒人怨，彷彿把人家的骨肉拆散，或錯貼了門神——老友分開了、冤家死對頭相配成對：最頑皮和最乖的、最活潑和最固執的、平日早有心病互不理睬的……哈！果真熱鬧。可是，你們也別以為我會十分好過，因為，此時的我，在學生心目中，便成了天字第一號壞人。暗地裡的怨罵，我倒可裝聾作啞，但怨聲載「簿」（周記），卻不由我不看，也得沉住氣對他們一一開解。不過，經驗告訴我們，這種風浪，總會過去的。又不是甚麼戴天之仇，只是小孩子式的嘔氣，多接觸了，取得協調和諧，絕不是件難事。不久，看見他們已經玩在一堆，我這個大壞人就可鬆一口氣。

其實，深深想一下，那道桌子之間的罅隙，就顯得十分天真和可笑。不是嗎？世界上還有哪種罅隙，能比得上人心與心之間，硬要做出來的距離？多年同學，既沒有甚麼刻骨銘心的深仇大恨，過的又是單純快樂而不可多得的學校生活，竟然不知怎的，會弄得三年兩載不理不睬。如今比鄰而坐，吝嗇得連一個笑臉也收藏起來，那心的距離，還不夠寬闊？如此看來，不足一吋的桌子罅隙，又算得上甚麼一回事？

今天，我們敘首一堂，那是機緣。但，誰能預料我們還有多少時間？你就想想：今天在你身旁的那個人，明天分手後，可能便天各一方。三年不語，豈不太殘忍了點？

旁人對於那隙縫，是毫無辦法的。是誰造成那隙，誰便該去使它重合。所以，我在等待！

——刊一九六九年十二月五日《中國學生周報》907期第三版「生活．讀書．思想」「路上談」專欄。

一九六九年

香港節中的杞人

剛從寒風、人潮、燈飾中回來。那是「香港節」，我去湊湊熱鬧。

這個節日，真搞得有聲有色。在這前前後後的日子中，到處都鬧哄哄的，像要人家非理會不可的模樣。果然，連我們幾個忙得不可開交的人，也居然把拋卻已久的閒情，重撿起來，看燈飾去了。

站在那大大的燈傘下，彩色有點濃得化不開，罩得人有些暈眩。我使勁想走出人堆，可是，人堆之外，還是人堆。於是，我只好挨著欄杆，定睛看著這：好多人的香港、好美麗的香港。突然，心中竟泛起陣陣的憂慮——我怕，有一天，香港不再美麗！

她是漸漸美麗起來的。戰後二十多年來，無數本來不屬於她、本來不愛她的人，為了不能回歸本來所屬的地方、不能把應有的感情精力獻給自己所愛的土地，才把「所有」慢慢轉移到這暫作居停的小島上來。於是，她繁榮了，變成我們安居之所。這該感謝上一輩的辛勤。但要她的美麗繼續維持下去，那責任就不多不少的落到青年一輩身上了。

香港有二百萬二十歲以下的青年人，他們正在不斷成長中，他們不久便要接替上一輩的工作。要把這份工作接過來，又要幹得好，那倒不是一件易事，因為除了技能知識以外，還需要有適量的群體意識和責任感。這些都來自社會風氣和教育制度，如果成年人不把社會風氣搞好、不改善教育制度，讓青年人在病態中長大，又把工作交給他們，站不穩時，怎辦？所以，我想，除了大力的辦好那多采的「香港節」外，也該更大力的改好社會風氣和辦好教育，否則……唔！恕我這個杞人，不再說煞風景的話了！

儘管許多人對於「香港節」的各項節目不大滿意，認為有點雜架攤的模樣；許多人說那四方標誌像粒骰子，又像塊呆木；有人批評那個圓球沒有深意；有人罵片片彩條活像招魂幡……但我都不計較，也都歡歡喜喜去看，因為那都是很外在、裝飾的東西而已。在平淡的日子裡，有些去處，讓好熱鬧的人，東跑跑、西看看，在彩色繽紛中團團轉，那就夠了。不過，香港還要有內在的精神、良好的制度，這倒真的叫人關懷，值得我們去用心批評。但願，香港的內在，也多采得一如「香港節」的燈飾。

——刊一九六九年十二月十九日《中國學生周報》909 期第十二版「藝叢」「路上談」專欄。

參

❖ 陸離按：十二月十三日星期六下午二時三十分，大會堂劇院上演易卜生的「群鬼」，這篇「香港節中的杞人」就是小思在「群鬼」開場前交給我的。後來，十二月十四日星期日上午九時三十分，陸離躺在床上曬太陽，小思忽然來電說：「那篇文章，千萬替我注明日期、時間。尤其是時間。才不過幾個鐘頭的事，更加變本加厲了。就在昨夜，深夜一時許，我到皇后像廣場觀望，看到那些柳樹，都倒下來了，許多花也連根拔起。這到底是怎麼回事？好像戰後一樣。就好像戰後一樣啊！」小思的意思是說，如果這篇文章延到上星期六深夜執筆，而不是上星期六下午提前完稿，那麼她的態度就一定會更加悲觀，而不是像現在這麼含蓄了。誰知道，也許所謂杞憂，根本就不是杞憂哩。

——編輯按語，見同期同版。

❖ 所以，如果不搞好社會風氣和教育制度，就是弄出一百個更多采的香港節，也只不過給那群青年人，多一百次放肆的機會，讓我們多一百次擔心。

——小思〈樹猶如此〉，見一九六九年十二月二十六日《中國學生周報》910 期「路上談」專欄。

證

❖ 一九六九年十二月九日《工商日報》頁一：〈香港節燈飾大放光明　護督主持按鈕禮　盼市民盡情歡樂　盛讚各界人士熱心公益精神〉，內文報道：「本港開埠以來最隆重的節日『香港節』，昨日正式由護督羅樂民主持亮燈典禮。羅氏在典禮中講及『香港一體』的精神，它原由在一九六七年舉辦的『香港週』所演變而來，不過，『香港節』是把重心放在大眾歡樂上，而非在商業方面。」

❖ 一九六九年十二月十五日《工商日報》頁四：〈秩序大亂險象環生　十餘少女暈倒　有人擠落水池〉，內文報道：「噴水池四周的柳樹最可憐。觀看表演的人們攀著樹枝，像猴子吊樹似的，一半的樹枝都被攀折了，吊著的人固然變成落湯雞，但美麗的柳樹也夭折了一半，顯出一片凋零。」

嘉年華會第一夜
十萬人湧到中區

秩序大亂險象環生
十餘少女暈倒
有人擠落水池

一九七〇

❖

一九七九

「再世紅梅記」觀後感

◇在《中國學生周報》繹釋豐子愷漫畫

大概，因為歡喜中國文學的緣故，我對中國古典戲劇，有著一份莫名的愛戀。可是，在香港，尤其在最近幾年，這份感情就有無處投遞之苦。中國、古典、戲劇，那是多麼陌生、多麼遙遠，又多麼渴念的東西。那天晚上，在人聲如潮湧、擴音設備差得驚人的戲棚裡，「再世紅梅記」竟給了我暖暖的滿足。

首先，我得說說「再世紅梅記」這個劇本，它的結構竟是那麼精煉緊湊，人物出場的安排是那麼恰到好處，完全擺脫了粵劇常有的累贅毛病，也完全符合了「一折之中，七情俱備」的戲劇要求。說句老話，就該評上一句「波瀾起伏」了。說到曲詞，有人認為有點過於雋雅，不合「大眾化」的口味，但我想，只要表演者把握得好，「大眾化」的觀眾，依舊容易心領神會的，何況，我們實在不忍心說「畫欄風擺竹橫斜，如此人間清月夜」這等詩化曲詞，連累了劇本。而它尚有一個特點，就是許多高潮或主要交代，都只用上一兩句曲詞，便可緊緊扣住，觀眾不必耐著性子去聽，生旦二人老停在某一情節上唱個不休，故也沒有粵劇常犯的「有曲無戲，有白無文」毛病。所以，這次演出成績好，唐滌生這個劇本，當記上首功。

可是，這劇本裡，群戲的分量很多，只要有一個演員不能熟練配合，便全體出岔子，因此，「仙鳳鳴」的演出態度也該欣賞的。其中，梁醒波所飾的賈似道，恐怕目前不作第二人想。可惜，他有「爆肚」的習慣，雖然忍呀忍的，到頭來還有一兩句破壞劇本格調的口白，使人看得入神時，突然一怔。這種「神來之筆」，實在不敢恭維。

「書生」這類人物，早在我們心中有了定型，因此，絕不是穿戴了書生服飾，便使我們同意他是個書生那麼簡單。他必須是個風流而不油滑，癡而不傻，文采而不假，機智而又帶了五分膽怯，可憎又帶五分可愛的人物。任劍輝所飾的裴禹，大概可說令人滿意了。白雪仙飾李慧娘時的柔弱，飾盧昭容時的嬌放，都掌握得很好。可是，一遇上快急的口白和曲詞，我便只聽到一串聲音，卻捉不住一個個的字。龍劍笙比「辭郎洲」瀟灑多了，她是有氣質的，相信演文戲會可愛得多哩。

還有，那些舞蹈美化的身型排場，音樂的優美，都聽得看得我有些兒應接不暇，但我只能說我很愛看愛聽，沒法子描述出來，因為聽了許多「專家級」朋友的批評，在這兒實在不好意思班門弄斧。

最後，我該說，「再世紅梅記」的演出，可為粵劇爭一大口氣。只可惜，票價太貴了，同學們就是想去看看，想作粵劇觀眾的生力軍，也實在太不合化算。

——刊一九七〇年一月九日《中國學生周報》912期第十一版「藝叢」，作者署名小思。

❖ **證**

一九六九年十一月九日《華僑日報》頁十：〈再世紅梅記再度爆滿〉，內文報道：「仙鳳鳴劇團昨晚響鑼，演出名劇『再世紅梅記』，全場爆滿，盛況空前。」

他的名字叫摩亞

六十年代最後的一個晚上，香港損失了一個偉大的人物，他的名字叫摩亞；或者，很中國化的叫梅守德。

也許，你會說：「我從沒聽見過這個名字。」的確，如果我沒有參觀過石鼓洲，也不會知道香港有這麼一個醫生，默默地，堅毅地為一群半生不死的人努力工作。

摩亞醫生給我的印象是：很高，很瘦，面容肅穆得像沒有表情，說起話來聲音也很細。我一直以為他是英國人，後來才知道他是紐西蘭人。不過，英國人、紐西蘭人都沒關係，反正，他一生的大部分時間，都不逗留在自己的國土上。遠在幾十年前，他就跑到我們中國來，在鄉下行醫。他全心全意的幹著，到過許多需要醫生的地方，對中國人也了解得很多。第二次世界大戰結束，他到香港來了，當過瑪麗醫院和九龍醫院的院長，生活該舒舒服服的，但他卻跑到另一個小島去，埋頭苦幹，一直幹到倒下來的那天。原來，不知道在甚麼時候開始，香港有許多人染上了吸毒這門害人習慣，累得半生不死，要戒掉則非有外力幫忙不可。於是，香港戒毒會便在長洲對面不遠的石鼓洲上，建立了一所戒毒康復院，好讓自願戒毒的人，在那裡擺脫不幸，重新建立自尊、自信、自立的能力。這是一件需要愛心、恆心、勇氣的長久工作。摩亞醫生和他的太太就在那時到石鼓洲去，和一群熱心社會福利的人，共同努力。他們要面對的困難真多，聽他們說也說得我這個局外人心怯，可是，他們卻絕不放棄，更不頹喪。摩亞醫生很細但很有力的聲音，仍在我耳邊響著：「這兒還有許多工作要幹！」對的，他們正在不斷地開闢石鼓洲；建新院、開山路、想著各種能幫助戒毒者康復的新方法。只是想不到摩亞醫生在退休前幾個月，竟在他自己苦心經營的石鼓洲上，一倒不起，就在一九六九年除夕死了。

我想，死在工作崗位上，摩亞醫生是不會後悔的，而他的同伴們也不會忘記他的精神。寫到這裡，我不禁想起他的太太了。摩亞太太給我的印象很深。參觀石鼓洲那天，是她帶我們去看的。這個上了一把年紀，在中國出生的外國婦人，恤衫西褲，樸素得令人吃驚。更難忘的是她穿了一雙中國農婦常穿的黑布鞋，在還未築成的山路上健步如飛。聽她用一半英語，一半廣東話向我們介紹島上的設備、人物、生活時，神態就像母親提起自己的兒子一般。她該和摩亞醫生一樣，深深的愛著這個小島和這項艱鉅工作。

我絕不忍心咒詛世界、人類，因為這世界有過像：史懷惻、艾偉德、摩亞，和許多許多我不知道名字，充滿愛心責任感的人物。

——刊一九七〇年一月十六日《中國學生周報》913 期第三版「生活・讀書・思想」「路上談」專欄。

證

❖ 一九七〇年一月四日《工商日報》頁六：〈石鼓洲康復院院長　梅守德醫生逝世　明舉行追思禮拜〉

石鼓洲康復院院長
梅守德醫生舉殯

❖ 一九七〇年一月六日《華僑日報》頁十：〈石鼓洲康復院院長　梅守德醫生舉殯〉。內文稱：「一位偉大的醫生死了，他的大半生為醫務事業獻出了自己的力量。」

一群拗背的人——記坳背山男童院

在荔枝角附近，從呈祥道拐一個彎，斜斜向山上跑，可以到達坳背山。那兒住了一群人，我就叫他們做一群拗背的人，但請注意：我改動了一個字。把本來從「土」的「坳」，改成從「手」的「拗」了！我們先看看：拗背是甚麼意思？「拗」是「違背」的意思，「背」呢？還是可解作「違背」或「反抗」。那即是說：那兒住了一群很違背很反抗的人。

山上的風景不算美，可是，總稱得上遠離塵囂，有堪看的青山白雲。幾幢別致建築物，成了曲尺形排列在廣大的運動場前。三個課室的座位，安放得就像淺水灣頭，那所美國學校所用的形式一般，都自成小組的。可以想像，這樣形式的學習一定很自由。剛是星期六下午，不用上課，所以，碰不見學生。金工室裡，有許多男孩子歡喜弄的金工工具，也有許多可以玩、可以用的製成品。木工室裡的情形和金工室差不多，只是製成的桌子椅子，早擺到宿舍的客廳裡了。說到宿舍，格式很特別，總是三間容得下六張床的房間，團團圍住一個小客廳，真像個家呢！走過那又大又新式設備的廚房，順便看看貼在記事板上的菜單，唔！豐富得很，飯後還有生果。難怪迎面跑來的兩個孩子，如此紅紅胖胖。康樂室裡有乒乓球桌、康樂棋，這等設備，恐怕許多學校比不上哩。——這就是建成啟用不久的坳背山男童院了。

它收容的全是十四歲以下的童犯。十四歲還不到，便犯了法，便被捉將官裡去，這不是對社會秩序，對法律的拗背麼？十四歲以下，該是個不懂得甚麼叫犯法的年齡。居然犯了法，也許責任不該全由他們自己來肩負。可能是社會，可能是家庭也在拗背他們，這點，感化工作者會很用心地找出原因來，會盡力消融他們的拗背，帶他們回歸正途。

我所說的「一群拗背的人」，卻不單指這群正在受感化的兒童，還包括那群感化工作者呢！像吳院長、章主任、麥先生……和許多我不知道名字的教師，他們在拗背社會法律的兒童身上，灑下不少感情和心血。面對已成形的罪惡，已經需要許多勇氣、毅力。何況，不只面對，還要加以消滅，那不是對罪惡的拗背麼？所以，我說：坳背山住了一群拗背的人！

坳背山男童院設備很好，但終究不是小拗背者的家；感化工作者付出了許多愛，但終究不是小拗背者的爹媽。成年人社會的分子、孩子的爹媽，動點慈悲吧！我們不要事後的坳背山，只要事前健康溫暖的家——不是要富有，少幾句責罵、多幾回呵護、了解，那就夠了！

——刊一九七〇年一月二十三日《中國學生周報》914 期第三版「生活．讀書．思想」「路上談」專欄。

一九七〇年

最後一期「路上談」：叫人開心的「空中談」

在這個年頭，「嚴肅」已經是一個很落伍，很令人討厭的名詞。父親嚴肅，孩子見了，老遠便躲起來。老師嚴肅，學生見了，面上呆呆，心裡咕咕，此時就是句句金石良言，他們聽得進去是奇跡，不把你所說的通通反過來幹一遍是幸運。儘管我在這裡如此說，可是，我自己正好就犯上這大毛病。我時常警告自己：不要拉長了臉，不要一本正經教訓人。說話輕鬆點，不要拿世界呀人類呀等等大話題去唬人。話雖如此，但只要說得忘形，我這老毛病就要發作了。所以，當看見學生做了和我的說話剛剛相反的事時，我實在萬分生氣——我對自己生氣的成分很重，因為我怪自己說話的態度不得當，惹來適得其反的效果。又像「路上談」，也擺脫不了這毛病，記得第一篇裡曾許下諾言：「不要太嚴肅」，但到頭來，還不是篇篇扳起面孔？最近更是愈來愈嚴重了。老老實實說，連我自己也覺得乏味。

要積極，要懇切的跟青年人談許多切身問題，而又不嚴肅不乏味的，目前倒有一個理想人物，也許，我該說一個理想節目吧！好，就讓我向大家鄭重介紹：商業電台，由李安求主持的「妙問妙答」和「聽我傾訴」。

我想，如果歡喜聽廣播節目的人，都會知道商業電台的第二台，在每日下午有一個名叫「青年人的時間」的節目。播出的時間很長，內容項目真多，負責的青年人也好多。他們想出的花樣不少，通常是以對話方式，再加插和話題有關連的歌曲，這個形式最多。其中叫人最開心，最欣賞的就是每星期三，五點半開始的「妙問妙答」和「聽我傾訴」。最初只有「妙問妙答」，裡面問的可能不算妙，但答則往往出人意外，有時怪論連連，叫你非笑不可。有時是深入淺出的說一些很切身問題，由於處理得好，再加上戲劇化，配音，效果就令人難忘。例如有次她解答：「甚麼是人生？甚麼是幸福？」許多人聽了，都十分感動。後來，她又增設「聽我傾訴」，是由聽眾把自己的感受、疑問、牢騷寫成小文，寄給主持人改編播出。於是，許多人心裡的話都有機會透露了，而這時候，主持人就會溫溫柔柔，關切誠懇地加上積極的按語，或很有意思的建議。我想，如此要人聽進耳裡，記在心裡，實在不是件難事。如果沒有了解自己的爸媽，沒有談得來的朋友，沒有你願意讓他知道許多事情的老師，而又真想找個人談談，那麼這個「空中談」，就不應錯過了！它很像樣！不會叫人失望的。

——刊一九七〇年一月三十日《中國學生周報》915期第三版「生活．讀書．思想」「路上談」專欄，是這欄的最後一篇。

❖ 證

小思決定不再續寫「路上談」了，本期的「路上談」，是最後一次。不再寫的原因，最主要是忙，她委實太忙了，她是會考班班主任，她的責任心是這樣重，以致她陪著學生一道忙，一道擔心。她又是一間夜校義學的負責人，日間下課後，還得忙著為夜學工作。至於她在這最後一期的「路上談」的自我批評，我想「路上談」的讀者都不能同意。只要翻開近數期的周報，就可以見到，她談勇敢的人，談愛心，談人與人間的隔閡，談人情味，哪一篇是「扳起面孔」？哪一篇全是嚴肅說教？正相反，我們覺得，她談的問題，都是青年學生生活上的切身問題，她所談的資料，也都是直接從教學生活中獲得，她的態度，又是這樣的懇切，她的隨筆文字，一期比一期渾圓成熟。我們都在慶幸，得到一位好的專欄作者。卻在這時候，她說不寫了。這真是令人十分失望。就是不明白，為甚麼小思要這樣嚴厲的批評自己！

——同期同版〈編者的話〉。

[大孩子信箱] 覆 TNT 同學

忙了一陣子，也懶散了好一會，每次看見掛在「大孩子信箱」上自己的名字，就不禁臉紅，委實不好意思再拖下去。於是，趕快請編者把信件轉過來。仔細看了一遍，發現其中許多問題，都是我常聽見年輕人提起的，我十分願意在這兒談談。雖然，許多大問題會牽涉到社會、經濟、制度等方面，絕不是我們紙上的三言兩語可以解決，但，有個地方，讓鼓得滿肚子的苦水吐出來，也讓一些人知道：原來自己的苦，別人都一樣會碰上的。如此，總可把苦減輕一點點。至於，該到甚麼地方辦些甚麼手續？哪間書店有甚麼書可買等問題，我就不準備詳細答覆了。

覆 TNT 同學

TNT 同學：

你的心情怎樣？港大入學試早該完了。在你心情極端混亂的當兒，我沒有及時回信，實在對不起。

關於「沒有清靜地方讀書」這問題，我想西西在「靜土何處」裡所提的辦法，是無可奈何中最好的了。在堆滿四百萬人口的小塊土地上，「心靜」就是我們要修煉的功夫。你算幸運，還有一個房間，有十呎見方的地方，可供應用。我很難忘記下面一件事：一個男學生失蹤兩天，我去作家訪。原來那所謂「家」，只是在一條暗陰走廊盡頭處的一個床位下格，我無法想像一家三口怎住得下。他媽向我哭著說孩子失蹤的起因：那天晚上，他正屈在床位上做功課，怎料他爸剛喝醉酒回來，就罵他佔地方，拿了根木棒把他打出去。於是，孩子只拿著一管筆和一個功課簿，失蹤了！對於這個孩子，十呎見方的地方，我想已經是萬分「奢侈」的享受了！

至於，你說若進不得大學，不想在「半桶水」的階段去工作。其實，讀完大學也不見得就是「一桶水」，因為我們要學的實在太多了，學到老也學不完。如果萬一真的考不上大學，你何不安心找份工作，晚上進工專去繼續求取自己喜愛的科學知識？只要到時，你不要像有些人，說甚麼：「老囉，還學些勞什子幹麼？」或「有了工作的人，總是雜務分心，學不上的啦！」便把自己閒下來，那你還是有機會的。

說到普及大學教育，誰說不該呢？但你把香港也列入「千方百計地限制青年人受高等教育的機會」的地方，我倒不能贊同。因為只要有能力，我們還是可以自由地去參加入學的競爭，而大學入學試的競爭劇烈，恐怕也不單只是香港如此。當然，我們極希望香港能有第三、第四所大學出現，很快把那種「劇烈」消滅。

香港教師有幾位不是為了職業而教書？這話倒真是一言難盡了。說到了自己的本行，你不要怪我說來帶點呼冤口吻。的確，許多教師的不盡責，會叫人看得心頭火上。但，每個行業都有敗類，這是無法避免的。何況，為了職業而教書，只要教來盡責，也不見得罪無可恕，我們不能說當職業就不好，要當事業才神聖。所以，我們只能責怪教師不盡責，卻不該責怪他把教書當成職業。（別忘了：有人能敬業與樂業的。）

還有，你看到一幀老師跟學生討論問題的照片，便十分羨慕，但可知道，照片裡也只有幾名學生而已，背後恐怕還有千萬人仍是被摒門外呢！而且，他們也未必能遨遊於我國偉大山川之間，誰敢擔保他們不是整天困在大字報堆中？

為甚麼許多人都說我們幸福？

因為：我們還有自由！我們能看到真的世界面貌，可以自由選擇——真的、假的、好的、壞的，都任我們自己選擇。假如，你所說的幸福，定義和我心中的不相同，那你該說說怎樣才算幸福。

只憑一封信，對你的了解不夠充足，答覆起來倍感吃力，而你看起來，想也會有「終隔一層」的感覺，那得請你原諒。在執筆之前，從沒想過當信箱主持人，是如此「辛苦」的。

小思覆

——刊一九七〇年五月十五日《中國學生周報》930 期第一版「每周專題」「大孩子信箱」，作者署名小思。前此的「大孩子信箱」均標明「主持：小思．陸離」，但一直只由陸離回答讀者的問題，至本期小思「不好意思再拖下去」，執筆回答，但只回答過兩期，另一篇是一九七〇年五月二十二日 931 期第九版「大孩子信箱」〈小思覆思紘同學〉。

寫「路上談」，然後開始「中國近代史淺說」！我們需要你的稿子。請不要只替我們攝影小動物或者寫劇評了。

——〈給「又一個傻瓜」同學以及關於救亡運動的一點交待〉，見一九七一年二月十二日《中國學生周報》第九版「大孩子信箱」（無署名，相信是陸離）。

參

❖ 西西〈靜土何處〉刊一九七〇年三月十三日《中國學生周報》921 期第九版「專題介紹」。

❖ 最無可奈何的還是小思。她本來一早答應過幫陸離一塊主持「大孩子信箱」，結果她有時積極，有時消極，最後累得陸離一個人托著個大信箱，好重，快要獨力難支。小思還是趕快回來吧！回來重

一九七〇年

草草杯盤供語笑
昏昏燈火話平生

四碟可口小菜是可愛的，但紛陳的零食更可愛！

油燈相照是可愛的，但蠟燭明月更可愛！

老友正襟坐著談天是可愛的，但盤了腿歪歪斜斜坐在草地上更可愛！

東拉西扯談只要不談俗務是可愛的，但談悶在心裡的話更可愛！

有一隻懶貓看著我們是可愛的，但沒有那個蹲著吹火的人更可愛！

——刊一九七〇年五月二十二日《中國學生周報》931 期第九版「大孩子信箱」，作者署名明川。《中國學生周報》由一九七〇年三月十三日 921 期開始刊登豐子愷漫畫選，所刊漫畫出自明川提供的《豐子愷漫畫全集》，刊出名目分「古詩今畫」、「兒童相」、「學生相」、「民間相」、「都市相」、「戰爭相」等。本期起有明川的解說辭。

一九七〇年

獨坐

許多人愛看小孩子瘋也似的玩，可別忘了，小孩靜靜乖乖坐下來更可愛。看他拿著慣玩的東西——那怕是兩個小玻璃瓶，三塊褪色積木，誰也不曉得小腦袋裡正湊個怎樣兒的故事。他那一本正經的模樣，嘴角喃喃，就該知道他是認真得很的了。

人，就在不斷構思故事中長大！

——刊一九七〇年五月二十九日《中國學生周報》932期第九版「大孩子信箱」，題旁標為「豐子愷漫畫選 兒童相之三」。

❖ **證**

明川先生是一位天主教中學的國文老師。「豐子愷漫畫全集」最初就是由她借給我們製電版的。我們一直請她每期隨同「豐子愷漫畫選」的刊出，寫一段短短的散文。她一直沒有答應。直到上一期才謙虛的說：「試一下吧。」就開始了。……

——同期同版〈編者按〉。

惹起了許多憂慮

能有如許多人關懷粵劇，起勁地談粵劇，本該是一件十分開心的事。可是，重看「辭郎洲」之後，卻惹起了許多憂慮，再加上昨天一個愛好粵劇的朋友，半冷半熱地說了一番話，更使我下定決心把這盤冷水澆下，雖然有點煞風景，但還是說出來的好。

首先，我得交代一下，那朋友說了些甚麼話。她說：「怎的你們只提『鳳和鳴』，單講『辭郎洲』？在香港呀，粵劇工作者，論輩份，論藝術修養，比她們高的多的是，你們卻一概不提，這實在太不公平。何況，你們這種集中焦點的鼓勵，對『鳳和鳴』的孩子們，不一定有好處的啊！」

其實，她所說的都是我們一直在憂慮中的事。我們提「雛鳳」，只因她們如此年輕，肯毅然走上一條漫漫長路；雖然唱造工夫還未到家，可是卻熱誠認真，為了這些，我們就不再過於苛求，更希望藉著觀眾的厚望和鼓勵，好讓她們更知進取和努力。我們提「辭郎洲」，只因那是她們舞台生命整體的表現。在目前，緊密合作是她們最需要的條件，而「辭郎洲」

正是為整體存在而出現的。

對著偌大一個粵劇界，卻只提一兩個劇團，的確不免有點「庭苑荒涼」的淒酸。作為觀眾的我們難道不想多看些好的演出？不想有多些值得提的東西？又何嘗不知道還有許多修養已到爐火純青的粵劇工作者？但他們的兒戲演出態度，曾令人十分失望。幹嗎我們要費錢費神去看？正因為馬虎的演出看得多，一旦見到有人肯認真熱誠，那就難怪我們有如獲至寶的感覺了。

至於過多的鼓勵，會不會對雛鳳們有壞的影響？例如自滿得不再努力，沾沾自喜以為早可自立門戶等等，那我們也不敢作甚麼估計。不過，我想，只要一天她們還肯聽老師的話，而老師又肯繼續指導她們，就大概不易犯上這毛病。每人的成功程度多少，那倒要隨緣隨分了！願雛鳳們好自為之。

最後，更願粵劇的老前輩們認清自己對粵劇的責任，認真地演幾台「好戲」，免得我們講來講去，也只不過「再世紅梅記」或「辭郎洲」！

——刊一九七〇年七月十日《中國學生周報》938期第九版「大孩子信箱」，作者署名小思，題前標示「小思第四篇」。

證

❖ 我們這次看「辭郎洲」，一共是：小思、蓬草、綠騎士、西西、唐書璇、曾慶、石琪、方圓、顧耳，一位港大的女同學，以及我，十一個人。……我們的結論是：市政局必須普及「辭郎洲」，讓「鳳和鳴劇團」到大會堂音樂廳上演，票價一元，讓更多的年輕同學，都來認識這南宋最後一戰，都來分享粵劇的文藝復興。……

——陸離〈為辭郎洲抱打不平〉，見一九七〇年六月十二日《中國學生周報》934 期第一版。

❖ 一九七〇年五月三十一日《華僑日報》頁十二：〈辭郎洲哄動北角戲迷　鳳和鳴打響頭炮　皇都昨絕早爆滿〉。

夏曆庚戌年四月廿七日　第三張第四頁

娛樂圈

辭郎洲哄動北角戲迷

鳳和鳴打響頭炮

皇都昨絕早爆滿

任劍輝白雪仙昨午親到皇都為愛徒安排演出　皇都戲院座位適宜觀衆　但演戲者卻相當吃重

鳳和鳴劇團昨晚在北角皇都戲院開始，日間絕早即告滿座，具見任仙開山九個徒弟號召力之強，是日下午任劍輝白雪仙親理余府，編劇葉紹德，和金唱片老板，曾同教娘史六姑、蘇姐等及九徒弟，以至音樂朱大輝，佈景陳慶祥，錄音李孫賢七叔，阮兆輝，梁漢威，陳寶珠和龍虎武師，共數十衆，親臨皇都戲院作實地演習，和燈光佈景的工作。任姐仙姐此間一不為名，二不求利，只純為愛徒演出設想，熱肝丟臨，確係了了翁如果還係少年的話，都甘拜在他們如此愛護徒弟，關切徒弟的師傅也。

皇都戲院場地寬闊，普遍座位佈滿不少，角度都適宜，非舊式戲，但做戲之人則辛苦了，因為台口甚闊，但深度不够，加上佈景，令合上人有嘈息不得之感，所以任仙特別吩咐龍劍笙、江雪鷺、梁漢威三人小心，尤其飛鋼盆，水戰一場，打旋子要特別有分寸，否則恐怕撞出亂子，身位要緊，至下午八時開鑼前，全院已滿，昨一晚演出如何，明日續報。（了了翁）

一九七〇年

中庭樹老閱人多

我已經很老很老了。

歷史的紅塵冷雨覆我。我聽過漁樵的同話。馮異在我身旁默然獨立，只為不貪功祿，於是人叫他作大樹將軍。陶潛徘徊不去，告別了折腰生活，人叫他田園詩人。有人折我以遺所思，有人借我繫住征人瘦馬。人憂、人樂，人樂、人憂，全都容在我心。

沒有淚，也沒有笑，只有守了千年的沉默。年年，我青青若此。

從前，有一個詞人，竟懷疑了，就如此說：

「樹若有情時，那得會青青如此。」

我依然沉默，非因蔑視，只因——惟其沉默，才容得下更多。

——刊一九七〇年九月十一日《中國學生周報》947 期第十二版「藝叢」，題旁標為「豐子愷漫畫選　古詩今畫之十七」。

翠拂行人首

昔我往矣，楊柳依依。

當年，湖畔有香塵十里，春風把柳陌的碧綠都凝住，映著半湖閒閒春色。

那時，我還年輕，總愛過著彫鞍顧盼，有酒盈樽的疏狂日子，等閒了春的殷勤，柳的依依。

有一天，我向江南告別，只為自信抵得住漠北的蒼茫。我對拂首的柳說：「你別挽留，我有出鞘寶劍，自可不與人群。」

驀地，我從夢中醒來，發現了雨雪霏霏，發現了滿頭華髮，發現了四壁空虛。我已經很累了，甚麼都不願想，只想念曾拂我首的柳絲。

——刊《中國學生周報》一九七〇年十月三十日954期第十二版「藝叢」，題旁標為「豐子愷漫畫選 古詩今畫之二十」。

◇在《中國學生周報》撰「日影行」專欄

一九七一年

第六屆大專戲劇節觀後感
從絕症、苦悶、寂寞到站起來開步走
——這不是篇劇評，只是觀劇惹來的一患感想

坐在大會堂音樂廳裡，看了一齣又一齣以絕症、苦悶、面對無盡等待的寂寞為題材的戲劇，真教人滿心不是味兒。這些年來，我有老師、親人、學生，分別患上絕症死了，恍惚絕症就在近幾年間，降臨世界，使人措手不及。說到苦悶寂寞，那就更是人生常客，我沒有意圖把人生描述得像個童話故事，但值得我們關懷的，不是爭論它們該不該存在，而是，它們果真來了，我們應用甚麼態度去面臨！

像「狼來了」裡的母親和女兒般「逃避」？其實，她母女倆的態度，又有很大分別。母親大概是對狼的可怕，有過實際的體驗，所以，除了貌似積極地緊閉門窗、遍插火把外，還不斷對沒有經驗的女兒灌輸「狼」的形象。而可憐的女兒，在自身的好奇欲，和後天的傳統思想灌注下，構成了對「狼」既怕又想嘗試的心態。於是兩人拚命躲在關閉的小屋裡，自我恐嚇。很可能，狼只在隔山老遠外嚎兩聲，也可能，狼早已吃得飽飽，對吃人再沒興趣，全不是母女想像中的樣子。可是，憑她倆的想像力，就夠嚇壞了！這和許多青年人，一到

十七歲，便喊寂寞呀苦悶呀，或兩手往袋裡一插，滿面落泊惘然，活像被絕望包圍得緊緊似的，又有甚麼分別？我不是說他們「作狀」，而是說犯不著那麼早「逃避」！

像「影、像、形」裡的主角，用暴力把所有存在的東西擊破毀滅了，他倒像十分十分的冷眼旁觀，超然物外。他覺得人生是一串串無聊舉動所組成，於是，不屑參加。不參加社會生活、隱居不是罪過，頂多人家批評兩句甚麼「毫無建樹」的話，但猝然把所有東西毀滅了，那就可怕，因為這證明他並沒有「超然」，只是不斷參加了他所不屑的行動，他矛盾苦悶，到極點時，只好放縱暴力，採取了「一拍兩散」的方法去解除自身的矛盾。被他暴力摧毀的東西，可能不是「不好」，而只是「不合他個人意思」的東西而已！何況，他並沒有負責去想，當這些東西毀滅後，應用甚麼來代替！

像「割離」的主角，造一場憤慨激昂的夢，然後恍然大悟玩樂去也？當主角重複又重複地大喊，這不該，那不該，我不能忍受，我不能沉默的時候，如果有人向他提出：「那怎樣才算應該？」「你就不沉默好了，說說你的改革意見吧！」他一下子真不易回答，就是回答了，也未必是他自己最滿意的。既然如此，還是看「化」一點，跳舞去吧！這種夢，恐怕許多人都造過，都醒過，台下觀眾想不會覺得無關痛癢的罷？當看「烈火暴潮」時，看到一群青年人淒然呼喚：「給我們一個機會吧！」我就很痛苦，因為該給怎麼樣的一個機會？是自由？平等？和平？是不要教他們賺錢方法？是不要叫他們吃太多東西？是不要勉強他們追求學識？這究竟是怎樣子的機會，恐怕上一輩不會明白，就是連他們自己也不一定個個清楚的！那麼，到頭來，做成了不可解決的苦悶，這責任又不知道推到何人身上去了？

像「五十萬年」裡的兩個「人」，在互相抗拒、嘲諷之後，找一根手杖，互相扶持，幾經仆跌，終於站起來，走向高處？儘管有人懷疑：他們站起來是不是一定比爬行在地幸福些。或他們只是可憐人物，被暫時站得起來的快樂所蒙蔽，終於還得忍受再跌倒的痛苦。或是果真站得穩了，卻因彼此不必再倚賴，便互鬥起來，演成另外一個悲劇。對於這點，我們不必抱過分樂觀的態度，也不必堅持它是個最好方法，但嘗試過困在小屋子裡光懼畏，憤怒地摧毀一切，夢醒了依然醉生夢死等等方法，都無法擺脫那些苦悶時，我們何不也試試這個方法？至低限度，在專心找尋手杖的當兒，會忘掉一些苦悶，有伴扶持時，會排遣一些寂寞，站起來會吸多些新鮮空氣，看多一點天地。在未死之前，我願多走幾步！前人的經驗學識是手杖，許多值得我們關懷的、學習的人，是路上好伴。

叫人一死了之的絕症不可怕，叫人變得冷酷狂暴、孤獨的時代潮流，才是絕症，才夠心寒！這種潮流不值得我們宣揚。逆流而上，在許多貌似老成，或心如止水的人的眼中，是天真得可以，但年輕人該有逆流的勇氣啊！

好端端坐著欣賞戲劇，居然聯想了這些重重的問題，真煞風景，但戲劇是最具普遍感染力的傳播工具，它足以令人相信這世界充滿苦悶寂寞，也足以令人相信可以站起來開步走，難怪我怕看到太多反映潮流（倒不如說造成潮流）的戲劇，而看到「五十萬年」，便有些喜出望外了！

——刊一九七一年二月五日《中國學生周報》968期第十一版「藝叢」，作者署名小思。

參

❖ 談到小思平日的娛樂，原來她酷愛一切的舞台演出，舉凡話劇、默劇、舞蹈等，她很少錯過欣賞機會。她笑說：「我是真正的發燒友呀！」

——阮海棠：〈小思把甚麼放第一位？ 訪問作家、學者盧瑋鑾〉，見《陽光之家》一九八八年二月五日24期。

證

❖ 一九七一年一月十一日《華僑日報》頁十九：〈第六屆大專戲劇節 結果評定公佈 最佳戲劇獎由港大獲得 港大譚榮邦、聯合書院沈宛 分獲最佳男女演員獎〉。內文報道：「香港專上學生聯會主辦之第六屆大專戲劇節，經於上周六晚（九日）圓滿結束。……第六屆大專戲劇節之最高潮，也是煞科好戲，將於一月卅一日舉行優勝者表演及頒獎，屆時當會有一番盛況。」

一九七一年

國中生女盡如花

在古代，花木蘭代父從軍的故事，是個天真的幻夢！女孩子只配拈針線、持中饋，嬌弱如花，怎像松柏的耐得風霜？國家有難，也只是匹夫之責，那裡算上女性的份兒？於是，熱情天真的詩人，為女性抱不平，設想一個橫刀躍馬的孝女，讓她立下汗馬功勞，不過，她還是要男裝打扮，才可以出場！

八年抗戰，我們嘗到國土淪亡的苦楚，兇殘貪婪如狼的日本軍隊，使我國人民感到了那切骨的痛，願意以每一寸血爭回每一寸山河。女孩子更摒棄了千年的懦弱嬌柔，肩負起救國的巨任！旗正飄飄，我們出征了！

——刊一九七一年四月三十日《中國學生周報》980期第十二版「藝叢」，題旁標為「豐子愷漫畫選　戰爭相之五」。

一九七一年

我只瞥見了那影

今年，一九七一年，到日本旅行去，是不是一回對的事？當飛機遠離香港，掠過台灣——也許掠過了釣魚台，朝日本進發的當兒，我依舊忐忑的想著。在香港，有人認為看日本電影，用日本貨都是不愛國的表現的今年，我竟到日本去當起遊客來，這究竟算甚麼一回事？說句老實話，我真有點「不忠」的感覺。但經過快一個月的旅程，我看的、遭遇的、感受的，都證明此行是應該的。甚至，我希望每一個堅決反日侵略的人，都有機會去日本跑一趟，因為，這樣會使人信心更堅定，行動更徹底！到了日本，我也才明白，為甚麼左舜生老師說日本是個「可怕、可愛、可恨的民族」，為甚麼他老人家說必須好好了解日本，為甚麼在垂老之年還請教師補習日文，這些都不是當我讀完一本「日本人的真面目」或者「醜陋的日本人」，所能明白的。

一個在京都大學研究中國文學的朋友對我說：「日本人對中國研究得那麼專那麼精，真不由你不怕和不服。單是中國文學的圖書館已佔四五層樓，其他還有中國史學、哲學圖書館，所藏的善本，不要說香港沒有，連台灣也沒有！近人的研究更浩如煙海，足夠叫中國人臉紅。」當時，我十分不服氣，暗想：研究中國，只是一小撮高層知識分子的愛好，不見得有甚麼巨大影響。可是，當我踏入散布在商店區中間的任何一所書店時，就不禁觸目驚心了，因為裡面擺著許多與中國有關的書。在文學方面，屈原杜甫等大家，自然有厚厚的討論專書，而有些五四時代不大著名的作者，居然也在研究之列，其他甚麼中國風俗、地理、政治的分析作品，更多得數之不盡。我不知道這些書的質怎麼樣，但從量方面看，就可以證明日本民間對中國的認識，必然十分普遍。人家那麼熱心了解我們，不知道是不是件可喜的事，但我們不了解人家，那就吃虧定了。

匆匆一個月，算跑過不少地方，但作為過客的我，看到的日本，恐怕只是個朦朧影像，根本稱不上了解，甚至，可能那只是個化大唬人的幻影，我卻大驚小怪地給嚇了一大跳。不過，我實在願意把自己所見所感——儘管是朦朧的日影，告訴大家，好讓大家分享一下我的「驚」和「憂」。更希望因此有人會告訴我，那影的真面目，我想，在今天，作為中國人，了解日本民族，也該是個很好的課題。

——刊一九七一年九月三日《中國學生周報》998期第十二版「藝叢」「日影行」專欄，為此欄的第一篇，作者署名小思。題右有編者按語：「好消息：小思旅日遊記．本期開始連載」。

一九七一年

讓我們找尋窄門

據說：人有了生命，就有一種自由，可以憑自己的意念去選擇存在世界上的東西、道路、信仰。這是人類的幸福——有人這樣說。但，正因如此，人也輕易碰上不幸。世界上的好東西，固然多的是，而壞東西，卻不見得少，它們複雜而多樣地，在我們眼前晃來晃去，要選擇對的一樣，實在不容易的啊！還是小孩子的時候，倒不必為這費心，因為爸媽早為我們安排妥當了。長大後可就大大不同了，大了，那自由、要求獨立的根苗，不斷地在心中勃長，加上外邊的新奇，我們便再不能忍受別人的安排，往往要自作主張，去闖、去選擇。可是，在奔向成長的路上，我們實在要付出很多，包括時間、心思、痛苦，才能得到經驗，才能從徬徨裡選中對的道路，對的東西。經過了千辛萬苦之後，許多人都會嘆一口氣：「噢！幹嘛我們要長大？」別嘆氣，這就是自由選擇的代價了！

能夠選對了要走的路，好的東西，那就算吃力一點，還稱得幸福。但，一下子漏了眼，腿下一滑，選錯路，跌倒了的人，也實在不少。對於這些，我們除了搖頭說不幸啊不幸之外，能給些甚麼助力呢？六年的教育工作經驗告訴我，對於選錯路的不幸者，旁邊的人，就是有多少熱誠和愛心，除了十分痛心說不幸之外，沒有甚麼再好的辦法去幫助他。「回頭是岸」這句話，說來容易，做起來卻是千山萬水，由沉溺到登岸，是一段艱苦歷程，能夠完成的人究竟不多！

為了避免選擇錯誤的不幸，為了不要事後的徒然痛悔，我們便該小心利用自由，仔細分辨好的壞的，在抉擇時才不易出亂子。但，怎樣才能分辨好壞呢？那就得要靠許多條件了，例如前人的經驗，自己學識，思考，和堅強的意志等等。壞的東西往往有一套美麗的外表，使人不知不覺地墮入圈套。好的東西，卻不易表露自己的優點，甚至有時會使人望而生畏，好易惡難是人的本性，於是就讓好東西溜過了。

聖經瑪竇福音說：「你們要從窄門進去，因為寬門和大路，導入喪亡；但有許多的人從那裡進去。那導入生命的門是多麼窄，路是多麼狹，找到它的人的確不多。」在這社會裡，導入喪亂的寬門大路，真的多得叫人目眩。要正確地找到窄門實在不易，但好的東西，就在窄門裡，為了幸福，我們必須往窄門的狹道上跑。這也是一條好長的路，就讓我們結伴同行吧！這篇東西算是序，是寫得抽象和扳起面孔一點的，我十分願意，在以後的每篇，輕鬆地寫出我們所關心的每一件實事。

——刊一九七一年九月五日《良友之聲》「窄門集」專欄，作者署名小思。此專欄共寫四篇。

長崎今日又下雨

遠在四百年前，長崎，這個多雨的港口，就被荷蘭和許多其他西洋國家的船隻闖開了。外國人給日本帶來天主教、新式機械、科學知識、洋式用具；同時，還有棄婦。

只要跑上一個面臨港口的小小山崗，便可以看見日本最初接受西洋文化的面目速寫，因為那兒有最古老的大浦天主教堂——保存得很好，大概是原爆後重修過的。有異人館——裡面擺的全是西洋最初傳入的東西和資料，也有接受西洋技術並加以發揚的日本專家蠟像；看著第一個日本攝影專家和他那具老古董的木匣子攝影機的造像，想著今天日本相機的大行其道，相信荷蘭人做夢也沒想到自己會有一個如此青出於藍的徒弟。那小山頂還有外國遊客最感興趣的蝴蝶夫人故居。

長崎今日又下雨！我撐著傘，走過微微俯下身子呵護著孩子、一手遙指港口的蝴蝶夫人銅像。到了精緻而纖弱的洋式屋子前，想像著那個可憐女人，怎樣倚在欄杆，數黃昏，數燕子，數過盡千帆地度日子。正想得發呆，一個朋友氣沖沖的從屋子裡跑出來，又一把把我拉進裡面去。其實，這所房子是「蝴蝶夫人」作者 Mr. Glover 的住宅，他的妻子是日本人，但是不是跟蝴蝶夫人同一遭遇呢，我倒沒工夫去考據了。屋裡的大廳睡房都依作者生前的一般擺設，這也引不起我的興趣，所以，只瞟了幾眼，就想離開。可是，朋友卻咬牙切齒地指著客廳裡一張圓形餐桌，又指指牆上的說明文字，我就明白事情不簡單了。原來，餐桌面架是用一個很大的船舵造成，而那船舵，就是甲午戰爭，清海軍提督丁汝昌的旗艦定遠號的船舵。在一八九五年二月，定遠艦在作戰中被日炮轟沉，雖然慘敗，也該算壯烈，但曾操縱全船方向的舵盤，卻淪落敵手，委屈在客廳裡當餐桌面架，那實在太污蔑了！心裡有氣，一下子連話也說不出來。

在雨中，下得山來，就向長崎「原爆紀念場」進發。剛巧是八月九日，正值原爆二十六周年紀念，只因我們下午才到，紀念儀式和人群都散了，加上規模不及廣島，隊友沒興趣在那兒獃下去，累得我和三個隊友，在團長規定的二十分鐘內來回，跑往隔了幾條街的「長崎國際文化館」去，看在二樓的「原爆資料館」。果然資料和氣氛，跟廣島差得很遠，也由於時間關係，只能轉一圈便離開了。

旅遊車駛離廣場，遠離那座趺坐在場前、作為永遠和平象徵的長崎和平祈念人像。在雨中，他永遠為祈求和平閉上眼睛，左手向側直伸平放表示和平，右手向上直指告訴人們世界第二顆原子彈是從上空投下。我覺得這個像很滑稽，沒有令人肅然的特質！

長崎漸遠，團長唱了一首很淒涼的歌，叫做：

長崎今日又下雨！

——刊一九七一年十一月五日《中國學生周報》1007期第十版「電影・特稿」「日影行」專欄。

❖ 證

「蝴蝶夫人故居」中以海軍提督丁汝昌旗艦定遠號船舵造成的餐桌面架。（一九八二年許迪鏘攝）

一九七一年

爬過那高山

我有一群好開心的學生，看他們整天嘻嘻哈哈的，坐在課室裡，總是兩眼烱烱，從不打盹。強烈的好奇心，或該說是求知欲使他們有問不完的問題。有時候，一堂時間就用在解答疑問上。可憐又排得緊湊的課程，叫我沒法子不把他們的「問潮」打住。利用午間休息時間吧！但還是應付不了。於是，我想：除了老師外，他們必須看課外參考書，才可以滿足他們可愛的求知欲。打定主意，就對他們介紹一些好看的書本了。怎樣都搖搖頭，他們說從沒有看課外書的興趣。甚麼？中三學生從不看課外書？噢！我的天！我現在才知道，這是一項艱鉅的工作——培養他們的讀書興趣。

第二天，我拿著一份很適合中學生看的雜誌踏進課室，趁作文課，誰先繳卷閒下來，倒可讓他開開眼界。剛好坐在前面的兩個女孩子，老早便把文章寫好，疊手疊腳地坐著發呆，我就把雜誌遞給她們。她倆好奇地把它從頭到尾翻一遍，便交回我手裡，女孩子，眨眨眼說：「好深，看不懂！」

唉！憑良心說，對於中三學生，那書實在不算深奧，只是「沒有看書的習慣」，就像一座大山，把他們的好奇心和可以帶來知識的書本隔開了。愈不肯看書，知識沒增加就愈覺得書本深奧，於是，那座山也愈來愈高，到頭來，人便軟在山下，沒勇氣，更沒力量去爬過那座大山。

其實，現在的青年人真幸福，要看書的機會多得很，學校圖書館啦，市政局辦的圖書館啦，都有書可借可看，甚至自己掏腰包買，也不會太困難。可憐當我們做中學生的時候，哪裡會有冷氣圖書館這回事？零用錢更少得不用說了。要看課外書，就得厚住臉皮站在書店裡看，遇上小人之心的老闆，總把你當成小偷般盯住，萬二分的不舒服。好不容易才蓄了一點錢，買到一本心愛的書，就當寶貝似的，看完又看，更包得好好的，再借給同學。這些滋味，沒有親自領受，實在不易明白了。

也許，同學們會埋怨說：「誰不想看課外書？功課多得要命啊！哪有時間？」功課多，這是真的。但，看課外書的時間，也不必太多的。每天半小時，總可以騰出來罷？只要半個小時，一天看它幾頁，算算看！一年可以看多少頁？養成習慣，當然能愈看愈快。到時候，不看便不舒服，而在書本裡得到無數知識的那種快樂，就更難描寫了！

看良好的課外書，是一種快樂，絕不是一種功課，或者苦差。趕快提起精神，下定決心，每天半小時，讓我們爬過那座擋在我們面前的高山，讓我們到達快樂之鄉。

——刊一九七一年十一月十日《良友之聲》「窄門集」專欄。

御手洗和風呂

說了解日本這民族，實在不容易，舉個例子說，像公共衛生這回事吧！他們既頂講究清潔衛生，又頂不清潔衛生的，這話怎講？我們從廁所和浴室兩個地方，就可以把話說明白了。

首先，談日本的「御手洗」清潔吧！我一直堅持著一個想法：如果想知道某個地方的人是不是清潔，在大廳或顯眼的地方是找不到真相的，但最騙不了人的地方是廁所，只消跑進去一次，多少能有些端倪。日本，廁所叫做「御手洗」，裡面的清潔，可以稱得上第一等了，大旅店的私家廁所，我們不必說，就看小鄉鎮和公路旁的公廁，竟然保持得連異味也沒一絲，那實在不簡單。在公廁裡，我看不見有管理或潔淨人員，它的清潔大概還是靠每個用廁所的人的力量。正因如此，凡我們這群香港客到過的廁所，就顯得面目全非了。每次，我看見有些隊友把人家原來乾淨的廁所弄得一塌胡塗，就感到「中國人」這名字受了一次屈辱。在香港，這些事情根本算不上甚麼，但在外國，一點點小事或漫不經意的毛病積聚起來，人家便會把它當作全民的印象，「有辱國體」的罪名是推不掉的，怎可以忽略呢？但同隊的人總有一把年紀，難道能扳起面孔教訓他們怎樣保持廁所清潔麼？有一次，在「伊勢旅店」裡，委實弄得太不像樣，兩個與我有同感的隊友，只好在午夜後，偷偷跑進廁所去替人家地方清潔一番——做這件事，不是為了同隊的人，只為了「中國人」這個名字！回到香港，每看見不潔廁所的恐怖景象，就不由得不想起日本來了。

但，日本不講究衛生的事也有的是，最叫人吃不消的恐怕是泡大浴池的風俗。他們叫洗澡作「風呂」，所有國民宿舍都採大浴場制度，近年來已經十分文明，把男女界劃分清楚，可是，一個丁方不足十呎的淺水池，無數人浸在裡面淋淋洗洗，想想水的「內涵」，就要發抖，更不用說要自己身歷其境也浸上一份時的滋味了。愈向南行，天氣愈熱，而卻又天天住國民宿舍，洗澡便成為我們最頭痛的問題。最初我們曾鼓了最大勇氣跑進浴場，準備穿上泳衣，披了大毛巾作個「游泳式」沐浴，但一進去，煙霧迷濛裡，全是赤條條的老老少少，瞪著穿上衣服的我們，就像看怪物似的，到頭來，是自己感到不好意思，慌忙跑了出來。終於，只有等晚上十一時，浴室關閉後，再偷偷溜進人家洗衣服的地方，用自來水作「象徵式」沐浴。如果連這份膽量也沒有，就有人創下九天不洗澡的紀錄了。

儘管我們對這種沐浴方式膽戰心驚，日本人卻視為一天最高享受，而溫泉地帶的沐浴款式，更是多姿多采，於是，我們一群外邦人就有了一次「風呂驚魂」的經驗。那天，到達別府溫泉保養地，宿舍的後園有八種不同的溫泉浴場，日本人往往乘三四個鐘頭汽車專程來洗澡的，而費用也不便宜，我們幾個膽小鬼當然不敢購票入場，但宿舍老闆卻說那是日本著名溫泉，不進去看看園庭風景，煞是可惜，便免費讓我們去開開眼界了。既然人家准許參觀，自然沒有甚麼不方便的地方，我們就心安理得地進入後園。路過處果然庭園幽美，又各處標明甚麼泉可以治風濕、皮膚病、關節炎，又有滾起泡泡的泥漿浴、水柱由上而下的水槌骨浴，我們正奇怪誰有膽量在那裡露天男女同浴，拐了個彎，只見跑在最前頭的朋友，像觸電似的跳起來，原來，沐浴完畢的男男女女，全集中在那場地上，散步、閒談、曬太陽、玩耍，簡直是個天體國，卻給我們誤闖了。那時候，紅了臉的倒是穿上衣服的我們。自從有過此次尷尬經驗，誰也不敢帶頭亂跑進情況不明的地區，而提起沐浴，我們就想趕快離開日本了。

——刊一九七二年一月七日《中國學生周報》1016期第十二版「藝叢」「日影行」專欄。

參

❖ 從書架上，小思老師拿出一本書，原來是日本作家妹尾河童的《廁所大不同》。……她繼續在書架上拿出一個大文件夾。打開文件夾，卻是一大疊有關廁所的剪報和圖片！小思老師說：「廁所是反映文化的一個重要指標，與當地人民的生活和教養息息相關，而且是騙不了人的。當我發現了這一個道理後，廁所對我就變成了有趣的東西，我便開始收集和閱讀有關的文字和圖片，甚至自己去旅行時都會留意當地的廁所，慢慢地知道得愈多，廁所又變得更有趣。」

——鄭依依：〈小思一生結書緣〉，見二〇〇三年十月二十日《文匯報．讀書副刊》。

一九七二年

終篇

旅行回來，碰見朋友、學生，總會聽見他們問：「好玩麼？」我又總會有點遲疑，含糊地回答：「還算不錯哩！」事實上，我不明白他們所指的「玩」是甚麼定義。假如，是指到外邊去跑跑，散散心，消解一年工作的困頓；又從旅遊中，看到許多新鮮的見聞，增長了知識，那我可以肯定，是十分十分「好玩」——因為，不一定要去日本，就是只要離開自己原來的生活圈，跑去外一步看看，也必會使自己的眼界開廣，何況，到了一個風俗習慣完全不同的國家呢！但如果是說放開心懷，沒有思慮地沉醉在度假中，那就不見得了，或許，我到夏威夷、瑞士、法國去，可以有這種心情，但到日本去，便不可能。那國家跟中國的關係太深，刻刻要叫人想起中國，而它在近二百年來，又不斷地侵擾我們，看著它，不難產生疑問：「一個如此小小國家，哪裡來了這樣巨大的威脅力？」例如：我跑去看明治維新的史跡館——明治邨，就不禁問：「他們利用甚麼力量可以把整個舊面貌一翻，完全接納了另一套思想，而又可以如此徹底的？」繼而又會想到清代的維新，為甚麼總落得個不湯不水收場？歷史和比較，往往橫亙在腦海中，這就不夠輕鬆了。

不過，我並沒有後悔，因為「學習」是必須付出代價的，反正，我倒還未到了只求輕鬆的退休旅遊期。「日影行」要終結了，它絕不是本好遊記，因為通過它，不會看見許多日本名勝記述，卻充滿了個人主觀的描述，但，這個影，實在太值得叫我努力去尋求它的真貌，也希望有人能告訴我有關它的更多資料。

——刊一九七二年一月十四日《中國學生周報》1017 期第十二版「藝叢」「日影行」專欄。

一九七二年

郎騎竹馬來

整了整衣襟，還摘一把山花，就在屋簷下，掃好了几櫈，更配上兩個心愛的泥娃娃！
十分快樂，十分鄭重。好個漫長的夏日，如果少個伴兒，鎮日怎樣消磨？

嗨！馬來馬來！讓開讓開！

跑過草原，跑過大漠，都不留戀，要趕路囉！

如果有人來問起，趕路為甚麼？就為了呀！遠方一位姑娘，等著我湊個伴去玩啊！

這是個好的故事，但千萬不要讓塵俗的意念污蔑了它！

一段純情的童年日子，離得漸遠，在某些人眼中，這些玩意太古老，太乏味了。

——刊一九七二年三月三十一日《中國學生周報》1028期第二版「藝叢」，題旁標為「豐子愷漫畫選　古詩今畫之三十五」。

一九七二年

戰後

狗最忠愛，愛得最永恆，最不問原因。

戰神的手橫蠻地、沒心肝地向某個地方狠狠掃掠。人也許連呻吟一聲都沒有便倒下去了，也許倉皇的逃離家鄉。他們不是不忠愛生命，不是不忠愛家鄉，他們只是真的沒有更好的辦法，去愛他們所愛的——因為戰爭是人類自己創造，當然明白那個時刻需要愛，實在荒謬。

雖然，狗也會死，但如果沒死掉，牠們是不會逃離家鄉的。一陣驚惶之後，牠們害怕得夾住尾巴，依舊跑回老家，去尋找主人和飯香。當然，牠絕不明白為了甚麼，那些舊東西都變了樣子，也不明白主人為何不在，可是，牠還會不問情由的留戀著老家。

——刊一九七二年四月七日《中國學生周報》1029期第二版「藝叢」專欄，題旁標為「豐子愷漫畫選　戰爭相之二十五」。

為成長中的傻瓜再寫一筆

算算快四年了。當我第一次去看雛鳳鳴回來，在周報上寫了一篇小文，稱她們做「勇戰的孤軍」，那只為她們正衝著粵劇的低潮，走上沒甚麼人要注意的長路，她們與她們老師的努力，實在使我十分感動。在以後的日子裡，我們許許多多熱愛粵劇的青年人，都盼望著粵劇的重興，好等我們有機會再看到優美的舞台藝術。

等了又等，四年來，粵劇果然是有點「微露曙光」了，雛鳳鳴在大會堂的普及演出，粵劇實驗劇團的先後幾次公演，頌新聲、慶紅佳，甚至錦添花、大龍鳳都紛紛表現了努力的成果，而戲院座上也出現了無數青年面孔，於是，我們都好開心，說粵劇要重光了，因為從前擔心的，粵劇伶人的不認真，粵劇觀眾沒有青年人，那些難題過去了，高潮就該在面前。

但事實上，粵劇的前景是不是真的這樣樂觀？恐怕許多人都會有著隱憂，這包括了電影、電視的威脅，劇本的缺乏，青年一輩伶人接不住棒子，部分伶人依舊不認真不自覺。（就在最近，在電視中，一個算是曾負盛名的伶人，竟在優雅的「雙仙拜月亭」曲詞中，油腔滑調地說起Yes來了。）幸而，隱憂是一回事，努力的依然大有人在，所以，凡有認真的劇團要演出，我們都會有一陣興奮，趕忙去看。

對於雛鳳鳴的一群青年人，說真的，我的確有一份特殊的感情，這大概由於有點「看著她們成長」的味道，於是，不覺間，就對她們關懷起來了。她們的幼嫩演技，實在距離成功尚遠，加上缺少了演出機會，為了生活而疏於練習，或改行去了，種種不利情況都足夠叫人擔心。現在她們又作第三次的正式演出了，我相信這是一次有決定性的演出，因為通過這次，她們就該決定自己要不要以演劇作為終身事業，也該明白成長是件要經風雨的大事，必須面臨離開溫室及培護的磨練。也許，正因如此，她們的老師就更要小心翼翼了，又為她們請來兩位老前輩押陣——那是梁醒波和靚次伯。說到這兩位老伶人，每次看到他們上乘的演技，心中就替他們有「茫茫然後無來者」的難過。薪火相傳，只望青年的粵劇接班人，不要氣餒，更不要放棄好好的學習機會。而帶有一份關懷的觀眾如我，能做的事，除了寫這篇文字，自己買票去看，四處叫朋友買票去看之外，還能做些甚麼呢？如果有，那就是希望更多人關懷她們，批評她們了！

演出日期：六月一日至八日（星期日加演日場）。地點：香港利舞台。劇目：英烈劍中劍。時間：夜場——八時正、日場——一時卅分（準時！）。票價：二十元、十六元、十二元、八元、三元半。

——刊一九七二年六月二日《中國學生周報》1037期第二版「藝叢」，作者署名小思。

證

❖ 一九七二年五月十八日《華僑日報》頁十四：〈雛鳳鳴劇團昨招待記者　李少芸激昂致詞指出八和會並無杯葛雛鳳　鐵定六月一日在利舞台演出雛鳳新戲定名英烈劍中劍〉。圖片説明：「雛鳳鳴劇團昨午假中央飯店舉行記者文化界友好招待會，圖為雛鳳鳴台柱與幕後主持人合影（前排右起）白雪仙、靚次伯、任劍輝、班主李少芸、葉紹德。（後排右起）梅雪詩、龍劍笙、蓋劍奎、言雪芬、朱劍丹、呂雪茵、江雪鷺。

雛鳳鳴劇團昨午假中央飯店舉行記者文化界友好招待會，圖爲雛鳳鳴台柱與幕後主持人合影（前排右起）白雪仙、靚次伯、任劍輝、班主李少芸、葉紹德。（後排右起）梅雪詩、龍劍笙、蓋劍奎、言雪芬、朱劍丹、呂雪茵、江雪鷺。

一九七三年

海棠軒外石闌邊　有風箏吹落

◇赴日本京都大學人文學科研究所任研究員

風乍起，在線的一端，站著一個為失落而悲切的人！

曾經，他如此埋頭躲在屋角，經營著這細緻、柔弱又帶不易折斷骨骼的彩蝶——雖然，彩蝶本來就有著這般性格，但他依然固執地自認是由他發現的。然後，他帶她到園子外去，熱烈地繫上線，柔情地整理，乘一陣好風，讓她上去了。

在地上的他，既緊而鬆地把線放著放著，誰都同意他確用盡情意，但誰都隱隱為他擔心，因為，她飄舉得太高了，高得像不屬於這個世界！

終於，老遠處有人說：「哦！有風箏吹落！」

——刊一九七三年三月十六日《中國學生周報》1078期第二版「藝叢」專欄，題旁標為「豐子愷漫畫選　古詩今畫之三十六」。

參

❖ 明川先生說：「曾答應替周報介紹豐子愷漫畫的，所以……」所以，從老遠投來了一份古詩今畫的稿子；現在，我們打算隔期重刊豐子愷漫畫，當然，還有詩樣的文句。

——欄旁編者按語。（按：前此，刊出「豐子愷漫畫選」的最後一期是一九七二年四月二十八日1032期。本期（1078）後，隔期，即三月三十日1080期刊出「古詩今畫之三十九」，至四月十三日1082期「古詩今畫之六十二」後，不見有後續。）

日本，那很多別民族文化的地方

XX：

來了日本快一個月，也算安頓下來，只是實在不習慣寒冷天氣，（京都是個盆地，寒氣自地下升起，有徹骨的感覺！）我有點半冬眠的狀態。不過，我很快便被京都大學的人文科學研究所及東洋文獻中心的圖書館吸引住了，裡頭藏的漢籍又多又精，加上日本人擅長寫索引工夫，便一下子把本來很雜亂的中國書籍及「學問」做好了分類索引，讓你一目了然。面對人家這些工夫，我就奇怪，中國二千年三千年的文化，居然能在毫無整理之下，一代傳一代的傳下來，那必須是「有閒」階級才可以如此花時間去看。但用索引工具書，則省時省力了。因此，我現在盡可能找多漢字的工具書，以便帶回香港應用。本來，我是想找些唐代文學反映社會狀態資料的，但來了以後，一看圖書目錄，竟有許多只聽過名字，但從未看過的新文學作品，雜誌刊物，大概由於這些是很近的資料，有些又直接影響了現代(例如「新青年」),有些又可真實地反映了二三十年代的中國情況,(我再不信「官修」的現代史了!)於是,我下定決心,一一把它們看完,把有用的資料分類抄下,做了閱讀筆記,又影印了一些原本,如此,我便不是做甚麼人家期望的「大學問」了,只是「抄東西」,但我實在萬分興奮,一方面,我真的知道了許多歷史書沒有告訴我們的事情,另一方面,將來也可把那些東西帶回來,給跟我一般只聽過名字而沒看過的朋友看看,分享一下我目前的興奮。例如目前,我便影印了民國二十五年二十六年的「宇宙風」,其中有「北平一顧」及「日本及日本人」特輯,也有盧溝橋七七事變,北京淪陷後的第一篇文章。……

啊!我說得太多了,得答答你的問題,首先說日本生活罷,目前我的接觸面很狹窄,主要是因為我不懂日語,另一方面是住了女子宿舍,這兒有三個台灣來的學生,一個美國人,一個韓國人,一個緬甸人,其餘便是日本女孩子,而這裡的日本女孩子所給我的印象是「淺薄無知」,還有許多事情看在眼內,回來,恐怕要把「日影行」改寫才好!生活程度之高也使我大吃一驚,舉個例子說,坐電車巴士,一上車便要港幣八角,但就快還要加價20%至30%呢!不過,在市中心商業區,我總見每間店子門口都寫了「急募職員」的招牌,因此我勸你,首先在香港努力下工夫學好日語(到日本文化館處學),如此可助你找工作及了解日本。然後,我替你問問日本的語言學校,你就來讀語言學校,然後才慢慢考進正式學校去,要了解日本,像我這樣子是不成的,必須留在日本三年以上,跟他們一起生活才行。

你年輕，也有觀察能力，好好趕快用功，中國實在需要青年有勁的一輩去做這件事。還有，必須積一點錢，來日的頭三個月的生活費必須解決。而且，你必須跟中、大學生青年人混在一起，才易明白日本的未來及現況。（我認為影響日本未來的是中、大學生，體驗農民的「革命清苦主義」是有意義的，但了解日本青年一輩更是當前急務，他們才是影響日本走上甚麼一條道路的主力！）

如果「青年先鋒」復刊，能不能轉載一些三十年代的文章？稿我是不寫了，但如要那些反映時代的舊文，倒可寄給你。

為了趕著付郵，下次再給你長信。

小思　七三年二月四日

（請多來信告訴我香港近況）

——刊一九七三年三月十六日《中國學生周報》1078 期第三版「生活與思想」。

❖ 參

去信徵詢過小思，她同意刊出這封日本來函，謝謝她。大家還記得的，她用明川筆名寫豐子愷時，因為害怕草率從事，寫得不夠好，終於暫時擱筆了。這是小思一貫渴求知識、尊重學問、嚴肅從事的一例；如今，抱著對識見不滿足的欲望，小思，壯志凌雲的小思，再一次遠涉重洋；在這裡，祝福她。大家已再三向編輯部要求過，快邀請小思寫稿，她是知道的。小思懷念著周報，也很想寫，這是大家明白的。不單周報，也有很多刊物的稿約，小思都不曾動筆。只是，小思律己太嚴了，更何況，讀書是享受，是知識的接受，寫作雖說是興趣，或是責任，但也難免是苦差吧，且，有時僅限於知識的運轉了。雖如此，我們仍企待小思的稿，使大家知道日本，日本和中國，開我們的眼界。（編者）（發稿時，明川的豐子愷漫畫選寄到了。接到的不但是信和稿，還包含著小思對周報讀者的呵護與不能忘情，謹綴幾句，致意。）

——編者按語，見同期同版。

❖ 小思：去京都遊學一年，真的為了個人原因。在香港教學七年後碰上一些教學的小挫折，聽從唐君毅先生的話，算是休養生息也好，半逃避也好，離開香港，透一口氣的行為而已。這是脫胎換骨的一年。在香港生活環境中，並無機會讓我「眼界始大」。直至那年我孤身一人，首次身處另一全新環境，才會「感慨遂深」。

——《曲水回眸——小思訪談錄．下》，香港：啟思出版社，二〇一七年，頁八七。

一九七三年

從禁止三字經談起

話說魯迅當年來到廣州，便發現了廣府人所用的三字經，比北方的「他媽的」來得合音合義，佩服之餘，從此便改用了粵式國罵。在香港，由於廣東人多，這國罵更是隨處可聞。以前，市井之徒，老友碰頭，表示親熱，三言總有兩語問候別人的媽媽。現在卻流行得連斯文中人，也衝口而出了。而由於聽得太多，不說的人聽了別人說，也不當甚麼一回事，只作語助詞看待。但遠在三十多年前，一個中國西南政委會的委員，卻鄭重其事，認為國家衰敗，完全由於廣東人三字經說得太多，因此在議會上正式提議明令禁止，他的提議文章甚妙，現在節錄一段，以供大家笑笑：

「……處此人欲橫流，世風日下之今日，欲挽於萬一，非從根本著想不為功。查『丟那媽』一語，吾粵到處流行，實與風化之衰敗，有莫大之關係。此語近乎性，故易於觸起青年男女性欲之衝動，蓋自幼習染此語，情竇初開，即輕動妄為。今之青年，日惟拍拖索野是務，姦淫誘拐是圖，捨正業於不顧，致國家社會日趨於衰落之境。『丟那媽』一語實為主要之原因也。昔者孔子刪詩經，度其用意，原不過挽救式微之風化，俾免淫風日熾，世道凌夷。為此，『丟那媽』一語，實有禁止之必要，是否有當，敬候公決。」

這是民國二十五年的事了，他的提議有沒有被接納，倒查不到資料，但看現在廣東人仍能「媽媽」如故，大概是「公決」不讓他當孔子，或是明令無效。

我看到這段妙文時，只當成笑話般「欣賞」，但細想一下，甚麼議員委員，在堂堂會議中，就如此信口開河，並不根查「淫風日熾，世道凌夷」的原因，不追究教育制度的毛病，不問社會秩序破壞的真相，只是搖頭擺腦的說幾句陳腔濫調，或寫篇酸腐文章，發表些貌似驚人的議論。表面上，好像沒有多大害處，頂多是給有識者茶餘飯後添點笑柄而已。但好不幸，此等人物卻又往往位高言重，一言片語都足可影響小民百姓的生計安危，而他們倒幾乎都不計較這些「責任」。開會嗎？是一大群人聚在一起，抽枝煙，喝杯奶茶或咖啡，各人自說自話地發表偉論，「公決」下來的事，好歹全由小民百姓承當，僥倖效果好的，是他們居功至偉，出了毛病，是百姓倒霉。反正，對歷史，對上級，都有皇皇開會紀錄，可以作「良心」的交代。一晃三十多年，由中國到香港，甚麼委員會多的是。當然，現在再沒有人提出要求明令禁止三字經的無聊而笨拙的提議了，這是小市民的大幸。

——刊一九七三年三月二十八日《明報》副刊「自由談」專欄，作者署名小思。作者求學日本後，首篇發回香港公開發表的文章見一九七三年三月八日《明報》副刊「自由談」。此系列文章文首標為「日本來稿」。

一九七三年

在電視中看到的——陳美齡哭了

宿舍的大廳有座電視機。一到晚上，房中沒有私家電視機的人，總愛坐在那兒「泡」。我倒不大「泡」的，因為她們多是在「追看」電視片集，一個晚上就只看幾個片集，未免太浪費時間了，可是，凡有特輯或特訪，我卻永不錯過。所以，我可以看到「中國西北邊疆特輯」，「現代中國版畫特輯」、「河南地區解放軍人訓練」、「猶太人的歷史悲劇與以色列復國」、「東德面貌」、「越南戰地孤兒」、「美國逃兵的生活」等等難忘的實錄。至於其他節目，多是人家熱心給我介紹，我也不妨趁熱鬧看而已。這些節目裡面，有令我開心的，也有令我難過的。現在讓我說一宗吧！

陳美齡「相睇」

那天，頭等電視迷跑來對我說：「喂！別錯過，你們的 Agunesu Chan 今晚上電視啊！」誰是甚麼 Chan？還說是「我們的」？搞得一頭霧水，才弄清楚原來是陳美齡。啊！香港來的陳美齡，彷彿來了一個熟人，加上她一向給我的印象是乖乖的、純純的，抱著結他柔柔唱著民歌，偶然，側一側頭，甜笑一下的女孩。當然，不會錯過。準時，我已經在電視機前坐定了。那個節目叫做 Love Love Show。每次，由兩個年齡差不多的歌星或藝員，扮作一對。有點像廣東人口中的「相睇」，男方的家長，往日的老師等人都出席，向女方的家長陳述男孩子怎樣怎樣好，小時候又怎樣怎樣。然後女方家長也說一番，而男女孩子又分別唱幾首歌，最後，便由雙方家長同意他們「成對」了，節目也就完結。

那晚，跟美齡配的是個很受女孩子歡迎的歌星，叫野口五郎，也是乖乖模樣。看他們一對，十六歲、十七歲，還帶著稚氣的羞笑，真看得人滿心歡喜。等男方家長咕哩咕哩說了一大堆話後，該是女方家長說話了。也許，陪美齡出席的依齡沒法作主，電視台安排了給在香港的陳媽媽一個長途電話。

我係尾尾呀！

> 美齡拿起電話：「喂！媽咪，我係尾尾呀！」嘩，廣東話！在日本電視中，我聽到廣東話！「廣東話！」我拚命指住電視機叫。

開心得七顛八倒的我，在同宿舍的人眼中，一定有點失去常態，因為她們都在莫名其妙地瞪著眼。「喂！媽咪，您好嗎？……我好好。我而家做緊電視節目呀！佢哋介紹個男仔畀我識，問妳好唔好。……嗱！依家佢同您講嘢呀！」只見野口五郎傻傻的接過電話，不知如何是好，尷尬地對著美齡笑笑，終於擠出句寒暄的日本話，便趕快把電話交回美齡。美齡甜甜的笑了笑：「媽咪，您唔好收線，我唱支歌畀您聽呀吓！」於是，音樂響起，美齡唱歌了。……「媽媽，媽媽，我將獻給您如同您給我的一樣……。」對不起，那是首英文歌，不知道是不是這樣譯，因為一方面我聽不大清楚，另一方面我早給閃在美齡眼中的淚光慘得亂了心神。歌唱完了，再拿起電話，只說了一句「媽咪」，她已經哭得說不出別的話來。

幫我多謝各人

我們卻聽見遙遙從香港傳來她媽媽的聲音：「幫我多謝各人，你要畀心機做呀！知道嗎？」美齡緊緊咬住下唇，想是要忍住不哭出聲音來，但淚實在沒法子忍了，最後，她哭得連鏡頭也不敢擺向她，轉到主持人身上去。由於這突如其來的場面，使主持人有點意外，而坐在電視機旁的我們，也由嘻嘻哈哈變得沉默了。等鏡頭再向她時，不知誰給她一條手帕，淚還沒有來得及擦乾，又要帶著笑唱另一首歌。唉！假如，你今年十六歲；假如，你剛中學畢業；假如，你剛離開學校，又跑到遠遠的地方來，過著一些與學校生活截然不同的另一種生活；假如，第一次你離開了媽，又再聽到媽的聲音，還有許多許多我沒說出來的假如，我想，你定會哭得比美齡更慘。美齡能幹，可以立刻止了淚便唱歌，但正因如此，才叫人看得更心痛。

畀心機做呀！

現在，美齡在日本很紅，天天可以聽到她唱的「麗春花」，也常常見到她在電視上表演，大概也磨練得不再易哭了。但我只想知道，當她媽媽說：「畀心機做呀」時，這個哭得淒涼的乖女孩，心中正在想些甚麼。

——刊一九七三年五月十三日《明報周刊》235 期，作者署名小思。

不追記那早晨，推窗初見雪……

香港真是一個好地方！因為人活著活著，很可以不知老之將至。也許，善感的人，還會在歲暮時歎聲一年又去；在發現絲絲白髮時會怦然心動；看見兒女成長會憂傷不再年輕，但忙碌的生活，也不易讓人有善感的閒情。於是，年年月月，像在一個密閉房間裡，沒日沒夜，倒不易察覺物換星移。

土生土長的我，悔不該一離開它，便來到這四季那麼顯明的地方。天地間就明明白白有一股生命之流在湧著，在一草一木間，陣風片雨之際，場景的迅速變換，足使對季節慣於無知無覺的人，又興奮又淒然。

不追記那早晨，被窗外白光驚醒，推窗初見雪的心情了，就自春分之日說起吧！經過兩天的微雨，釀出了一點兒暖意，等再放晴時，滿街的楊柳竟然已經帶了嫩得宛如輕輕一彈便碎的綠，而人們也在緊張地預測花開的日子了。只算認真地暖過一天，櫻花在一夜之間，便開了七八分。她開得如此突然，使人沒法子不想到她會凋落得快，我這外地人估計是兩個星期。在上學途中的街頭，那一片繁花景象，已經夠我目眩，但老京都說你必須去平安神宮、圓山公園、清水寺、植物園……而且必須趕快去。櫻花絕不可以逐朵細看，該是一大片一大片的朦朧，遠望似一層微紅的輕霧，罩在山間人叢。當我在垂柳垂櫻間分花拂柳而行時，只驚訝日本人的狂歌大醉，和由朝至暮，甚至挑燈去賞櫻的行徑，竟忽略了看櫻的艷。在花開的第四天晚上，一陣不大經意的夜來風雨，到早上出門，地上滿是未殘的落花，而風一來，更飄得人肩襟都是，這時刻才悚然察覺櫻的淒艷。我繞道而走，只為真的不忍踏住落花。裝束古樸的大原女（注）用竹帚慢慢收拾殘局，京都人又去賞滿城皆綠的新綠時期了。果然，好像也只不過一夜之間，所有樹葉都冒了出來，定一定神看，楊柳已經變成放蕩的冶綠。有點情緒追不及景色的變換那麼快，但必須趕，因為還要看杜鵑花、紫籐花、鬱金香的開謝。現在人們又備好雨具，等梅雨天，去西芳寺看苔。

面對這些場面，彷彿參透天地的機微，就是不屈指來算日子，也體會整個宇宙的飛快推移。從前讀詩讀詞，曾懷疑古人哪裡來許多惜春傷春之意，到如今，才了悟他們並非興感無端。恐怕不是善感，離開香港，令我覺得老得真快！

一九七三年七月於京都

注：大原女：在京都左京區，有大原，此地婦女穿藍白古服，多到市區執粗作如清道剪草為活，稱大原女。

——刊一九七三年七月一日《文林月刊》8期，作者署名明川。

參

❖ 這一年，我在京都更學習到另一套學術研究方法，又從古典文學研究轉向現代文學研究，在學術上也是重要的轉捩點。所以，我把〈不追記那早晨，推窗初見雪……〉列為《承教小記》的首篇文章，以誌我「眼界始大」的一年。

——《曲水回眸——小思訪談錄．下》，香港：啟思出版社，二〇一八年，頁八七。（《承教小記》，香港：明川出版社，一九八三年初版）

一個特寫節目

在九月十八日的前三天，朝日系電視台在晚上播放了長達一小時卅分的特寫節目，那是 **TBS** 中國取材團，在七月下旬至八月初，到中國東北地區拍攝的「日本人離開第二十八年後的東北」。

節目中第一個新鮮面貌，是滿街行人身上不再是劃一的解放裝，男的多穿白恤衫，女的多穿花裙。大連是採訪的首站，歐洲風格的街道仍然保留，甚麼舊日的大和酒店、橫濱銀行也一一出現。海灘上滿是十分活潑的弄潮兒，當訪員訪問四個度假中的年輕工人時，他們竟一時答不出女性漂亮的標準是甚麼，卻說「選擇愛人以思想較進步為首要條件，健康也重要，漂亮嘛不大打緊」。說到蘇聯的威脅，本來輕鬆的面孔，變得嚴肅了，說：「我們是不怕戰爭的，但我們更希望和平。如要戰爭，我們必會站在最前線，把帝國主義打敗。」

第二站是瀋陽。無軌電車的搭客十分擠擁，行人對這外來電視採訪隊，表現了又詫異又好奇的神情。市內舊式建築開始拆除，興建著新的房屋，因為人口漸多，原有的住宅不足夠了。在城西區的工業地帶，他們訪問了一對工人夫婦的家庭。通過他們的生活，可以看到工人在公餘聚在一起玩撲克。每三個月工廠會選出優秀的工人，賞給每人一份如毛巾臉盆之類日用品的獎品。每天幼稚園有校車把小孩子帶到工廠去交回給他們的父母親。說到瀋陽，自然漏不了柳條溝，鏡頭停在「九一八事變」鐵路爆破地點的紀念石上，清楚看見「不忘九一八，牢記血淚仇」十個大字。然後，加插了一段滿洲國成立，溥儀即位大典的歷史紀錄片——有溥儀的慌慌張張表情，「開國諸大臣」的不歡面孔。第三個站是日產一萬噸煤的撫順露天煤礦。退休的礦工可住到養老院去，每月拿到原來薪金百分之七十作退休金。一個七十五歲的退休礦工敘述了他五十五年來的礦坑生活，悽然回憶日佔時代沒飯吃，「雙腿爛得像豆腐」還要拚命工作的日子。第四個站是鞍山。從前只許達官貴人享受的湯岡子溫泉，現在成為工人的療養院，病人可獲免費的物理治療。第五個站是長春。那天剛巧是八一建軍節，我們可看見年輕的解放軍。往日的滿洲國務院、醫科大學、關東軍司令部、大同廣場，就是現在的甚麼機關，也一一介紹了。在一個公社裡，青年人說：「黨多次推薦我進大學，但我沒有去，因為我覺得應在農村多學習，也可了解一些學校中得不到的知識。」年輕的農人說：「我們都關心國家大事，努力農業生產。我們確信以後會更進步，會成為比現在想像中的更繁榮！」特寫節目在日本人讚歎聲中——「中國產業之寶庫——東北！」作結。

——刊一九七三年十月十五日《明報》副刊「自由談」專欄，作者署名小思。

一九七三年

青龍寺一瓦之緣

同法同門喜遇深　隨空白霧忽歸岑
一生一別難再見　非夢思中數數尋
（留別青龍寺義操闍梨　空海）

話說一千一百六十九年前，日本和尚空海，為了仰羡大唐文化，追求佛法，遠道來到長安。一個仲春的日子裡，虔誠的空海，走進長安青龍寺，拜見密教七世祖慧果和尚。慧果歡喜含笑對他說：

「我先知汝來，相待久矣，今日相見大好。報命欲竭，無人付法，必須速辦香花入灌頂壇，即歸本院營辦供具。」

於是空海就與青龍寺結下了一段緣。三年內，慧果親自傳授了兩部大法，和一切密教法具。到圓寂之日就對空海說：「我得你如此一個弟子，繼承法統，我願足矣。日出月沒，油盡燈滅，物之常也，菩薩不住，如來亦滅，吾亦庶幾不如歸真。你快回國去傳法。」於是空海和尚攜了佛典法具，和一腦子深受大唐文化浸淫的思想，拜別同門師兄弟，寫下文前的一首詩，就回到日本去了。

回到日本後，空海由中國學得的佛法和文學，就像好的種子，落在大地上，生長了、繁衍了，大大影響著日本的宗教思想和文化。而嵯峨天皇更賜一所東寺給空海做密宗的大本山，醍醐帝也追贈他「弘法大師」的尊號。

弘法大師帶給日本文化的貢獻很大，但他的根源來自中國，這是他念茲在茲的，更難怪當他拜別這根源所在地時，有「一生一別難再見，非夢思中數數尋」之歎了。

再證文化之緣——無數的日子在人類的一生一滅裡過去，青龍寺也不知在甚麼時候倒塌湮沒，但文化卻不斷地延展著。有一天，在西安，有人發掘出青龍寺的遺瓦；有一天，日本京都的市長船橋到了西安。於是，中國政府請船橋市長帶一塊青龍寺瓦，送到東寺去，再證這一段文化之緣。

*

京都東寺，是密教的大本山，斜暉中的五重塔是京都名景之一，但最能吸引遊人的，還該算每月二十一日的廟會。逢上廟會，信徒紛紛去上香祈福，小販忙於擺賣，不是信徒的也會趕去趁個熱鬧。今年九月二十一日，除了月月例行的廟會外，還有一個不尋常的儀式——「青龍寺遺寶傳達式」在御影堂舉行，而為期一個半月的中日文化交流展——主題：「中國與弘法大師」，也在那天開始了。

*

那天，我因一個偶然的機會，隨著各報記者進入舉行儀式的御影堂，在中國代表席後，看著慧果弘法千多年前的因緣再訂。

御影堂在東寺北大門的左側，並不很大，裡面佛壇已佔了二分之一的地方。佛壇以外就只能容納四五行跪席而已。佛壇前面第一行，右側是京都官員席，左側是中國大使席，再旁邊是僧眾席。記者席在中國大使席後側，其他便是貴賓席。普通信徒要參加，都只得跪御影堂外邊。本來，報上預告是請陳楚大使主持這傳瓦儀式的，而跪席前的紅條也寫著「中國大使席」字樣，但當天卻由中國出土文物展工作組組長趙光林代表，同時出席的有出土文化展工作組組員李長慶和中國人民對外友協翻譯楊林宗。十一時卅分儀式開始，由知客僧引領來賓入場，穿橘紅法衣的東寺主持也登了壇。上香禮佛，中國代表捧著盛瓦的木盒，走到佛壇前交給東寺主持，從此這塊青龍寺瓦就歸東寺了。禮畢，各人退回跪席，僧眾信徒們誦經，東寺代表致謝詞後，儀式便告完成。

跟著，在御影堂左側的寶物館，中國代表和東寺主持一同為中日文化交流展行了剪綵禮，我們就進入展會的二樓，隨著中國代表的後面，細細欣賞：「慧果付法文」（慧果給空海的畢業證書）、「弘法之筆——益田池碑銘」、當年慧果授給空海的法貝袈裟、唐順宗賜給空海的菩提念珠，和許多由唐「請來」的寶物。當然，在一個特別的玻璃櫥子裡，我們也首次看到遠從長安而來的青龍寺瓦。我定睛看住這塊不到四吋、深赭土色的瓦片，它竟因時際會重繫中日兩國的文化因緣，這恐怕不是千多年前「非夢思中數數尋」的空海所能預料。

——刊一九七三年十一月十六日《南北極》，作者署名小思。

參

❖ 多說幾句：

是緣，四十二年前，我親歷了中日文化交流重聚的一刻。

在幽暗御影堂中，遙睇那片瓦，久經風雨，何故未碎？千里來歸東寺，見證榮辱夢幻之事。身為中國人，總有點思疑。

往後中日糾結頻仍，於今尤烈。忽然想起湯顯祖《邯鄲記》：「鴛鴦瓦碎」了的一節。金彈打鴉，瓦承受不來，應聲而碎。

兩國交誼，不用金石。原來此瓦，自有千年隱喻。

二〇一五年十一月

——文末按語，見小思《一瓦之緣》，香港：中和出版社，二〇一六年，頁二〇。

一九七四年

一樹

◇任田灣聖高弗烈職業先修學校教師
◇任藍田聖保祿中學教師
◇在《中國學生周報》撰「蟬白」專欄
◇在《星島日報》副刊「星辰」撰「七好文集」專欄

沒有理由說我不愛柳樹和櫻花，但去年這個時候，當我分花拂柳之際，的確曾十分想念「天南樹樹皆烽火」的木棉——也許，並不是想念樹樹，只念起遙遙矗立在加路連山道旁的一樹而已。

雖然從小就聽人家說木棉是嶺南名木，但畢竟沒有見過「夾岸珊瑚十萬柯」的驚心動魄場面，更無法想像「落英逐流，染波欲紅」的壯麗悲情。說木棉樹，香港不是沒有，只是難得成林，加上空氣污染，就夠叫英雄減色了。當每年三月花開，偶爾一兩株還算紅得燦爛，也不過稍一動心，多看幾眼，留不住甚麼記憶。

就是那年，剛從大學畢業出來，找到一份私立中學的國文教師工作，薪金少得可憐，可是，滿懷希望的，真有點「青春二月當艷陽」的氣概。打從課室的窗戶，可以看到一株矗立後園的木棉樹，它的高壯樹幹挺直得叫人肅然，枝梢橫布空中卻顯得有些橫蠻霸道。大紅花朵一開，不由得你不看，如果襯上藍天白雲，可更不得了，簡直耀目燭天。到花落時候，也絕不拖泥帶水像茶花般未離枝頭已黃作一團，或者片片隨風惹人悲傷。它要落就似毫不惋惜的，大朵大朵跌下來，跌得拍拍作響。人們拾起來都說「呀！好一朵木棉！」它跌得如此理直氣壯，可以令人感傷，卻不曾淒涼。到了六七月，為著生命的延展，它又有多次滿天飛絮的壯大表現。只要風一請，沒見過雪的南方人，倒可以藉著這機會聯想雪花飛舞的場景。此外，甚麼綠葉成蔭，就不必說了。等到秋來，它光禿的枝椏是沉默而冷靜，像鼓著無限勇氣的生命力，好待第二年又發新蕾。

在那些日子，我們一群年輕教師不知道疲倦，也不曾氣餒，跟許多可愛的學生分享過憂和樂。沒有考究是哪段積極而光輝的生活，使我把木棉也留在記憶裡，還是木棉的確具有英雄戰鬥的特徵，使我得著鼓舞而難忘。總之，從此，我便時時惦念這一棵樹。

離開那所學校後，年年，學生們總不忘告訴我花開的消息。而年年，我也會隔了圍牆，探看一兩回。

——刊一九七四年四月二十日《星島日報》副刊「七好文集」專欄，作者署名小思。

參

小思：當時《星島日報》的副刊編輯何錦玲女士說專欄多由男士來寫，但當時也有許多女性作者，她希望找些年輕女性來寫專欄。結果柴娃娃就幫她組成「七女子」，即「七好」了。當時她只想找一兩位女作家，可是出名的都忙得很，而我又未在報紙上寫過這類專欄，更加不敢答應每天寫，後來幾人組在一起，每人寫一日最理想了。……這專欄存在很久，中途轉換了不少人，而我是由開始寫到結束的。可以說，這是香港首個由七位女作者輪流每周一人一篇的專欄。

——《曲水回眸——小思訪談錄．下》，香港：啟思出版社，二〇一八年，頁三十四。

證

「七好文集」專欄剪影（歷年「七好」版頭見《曲水回眸——小思訪談錄．下》頁四十二）：

20/4/74

七好文集

杜良媞 圓圓 小思 陸離 尹懷文 亦舒 柴娃娃

一樹

•小思•

沒有理由說我不愛柳樹和櫻花，但去年這個時候，當我分花拂柳之際，的確會十分想念「天南樹樹皆烽火」的木棉——也許，並不是想念樹樹，只念起遙遙矗立在加露連山旁道的一樹而已。

雖然從小就聽人家說木棉是嶺南名木，但畢竟沒有見過「夾岸珊瑚十萬柯」的驚心動魄場面，更無法想像「落英逐流，染波欲紅」的壯麗悲情。說木棉樹，香港不是沒有，只是難得成林，加上空氣污染，就夠叫英雄減色了。當每年三月花開，偶爾一兩株還算紅得燦爛，也不過稍一動心，多看幾眼，留不住什麼記憶。

就是那年，剛從大學畢業出來，找到一份私立中學的國文教師工作，薪金少得可憐，可是，滿懷希望的，倒有點「青春二月當艷陽」的氣概。打從課室的窗戶，可以看到一株矗立後園的木棉樹，它的高壯樹幹挺直得叫人肅然，枝梢橫佈空中卻顯得有些橫蠻霸道。大紅花朵一開，不由得你不看，如果襯上藍天白雲，可更不得了，簡直燦目燭天。到花落時候，也絕不拖泥帶水像茶花般未離枝頭已黃作一團；或者片片隨風蕭人悲傷。它要落就似毫不惋惜的，大朵大朵跌下來，跌得拍拍作響。人們拾起來都說「呀！好一朵紅木棉！」它跌得如此理直氣壯，可以令人感傷，卻不會淒涼。到了六七月，為着生命的延展，它又有多次滿天飛絮的壯大表現。只要風一請，沒見過雪的南方人，倒可以藉着這機會聯想雪花飛舞的場景。此外，什麼綠葉成蔭，就不必說了。等到秋來，它光禿的枝椏是沉默而冷靜，像蓄着無限勇氣和生命力，好待第二年又發新蕾。

在那些日子，我們一羣年輕教師不知道疲倦，也不會氣餒，跟許多可愛的學生分享過憂和樂。沒有深究是那段積極而光輝的生活，使我把木棉也留在記憶裏，還是木棉的確具有英雄戰鬥的特徵，使我得着鼓舞而難忘。總之，從此，我便時時惦念這一棵樹。

離開那所學校後，年年，學生們總不忘告訴我花開的消息。而年年，我也會隔了山探看一兩回。

蟬之白矣

過去的一年，是些不必數的日子。放下原來的工作，離開熟習的環境，去休息一年。我常如此對人說。於是有人說唉你真奢侈，有人說啊你好快樂。沒一句反駁，因為在某個角度看去，都有道理。

在香港，往往有一股力量，不知不覺中使人很易安頓下來，然後令人長滿鏽，或者磨損得厲害。也許，有些人站得很穩，沒有鏽，不磨損，但肯定的，我不是那種人！能夠停一停，檢查一下，加點油，相信總會有些補救希望。於是，我決定停一停，出去了。

選擇的地點是日本京都。第一個理由是當年答應了左舜生老師，會找機會去了解一下日本，而三年前的「日影行」又竟如此的匆匆浮淺，就想清楚多看些。第二個理由是自己的英文差勁，自然不好去美加英法，日本畢竟還用上些漢字，勉強總可應付得來。第三個理由是當年到過京都，只覺一山一水，花柳樓台，也帶唐風，不必拉上甚麼中日文化，就是那股古意，就足夠吸力叫我去住一年。加上，京都大學中文圖書豐富，定個題目，看一年書，雖然看不了多少，但總算了卻一樁心願。

人說道「夢中無歲月」。一年過去，不是夢中，可是它的陌生、奇異、豐富，使我來不及細細去數那些日子，就像一個孩提初睹多彩煙花的噴發，目眩心動之外，剎那間捕捉不到一點兒甚麼。回來了，定定神，不算檢討，也著實該把一年所得的經驗整理收拾，作為「休息一年」的交代。

整理之後，首先，發現選擇日本京都的第一個理由是多麼荒謬！困處在一個城市一個小圈子裡，生活一年，竟想清楚多看些一個民族的面貌，如果不是無知就是唱高調。於是，剩下兩個理由——也許不夠宏大，但我得承認。以後在這兒，我願敘述一年來所遇到的事情，所見到的人物，所看過的書本，所興發的感觸，當一面鏡子，或一段紀錄片，再看看過去一年的自己。

沒有收入，用著僅有的積蓄，居然辭掉工作，嚷著休息，的確奢侈。在新的環境下，盡做自己愛做的事，不必擔上任何責任，的確快樂。但這樣的停一停，是不是真的找到了些補救長鏞磨損的辦法？我可沒法子下一個結論。不過，一定有了改變，這是我可以十分肯定的！

——刊一九七四年四月二十日《中國學生周報》1122期第二版「藝叢」，作者署名小思，為「蟬白」專欄的首篇，此欄寫至一九七四年七月五日1127期止，共五篇。（《中國學生周報》由一九七三年十一月五日1111期起改為雙周刊。）

手頭字

在電視上，有人討論簡化漢字的問題，發言的幾乎一面倒贊成應用簡字。說起來，在近代已經有過不少人努力研究和推行簡化字，遠一點的例如太平天國就有許多稱為「太平天國體」的簡字。光緒三十三年（公元一九〇七年）勞乃宜在南京出版了「簡字全譜」；民國十一年錢玄同提出了「減省現行漢字筆畫案」；民國二十四年教育部公布了第一批簡體字表，就在這年，「論語」、「太白」等雜誌也按期推出一定數目的簡字，希望作者寫稿改用，而讀者也學習適應，如此漸漸便可以取代了原有字體的地位。

其中，由陳望道主編的「太白」，卻並不稱那種為「簡字」，另給一個名稱叫「手頭字」。當時還堂堂正正地刊出了「宣言」，說明推行手頭字是為了「使得文字比較易識、容易寫，更能夠普及到大眾」。發起人多是學者和作家，也有「文學社」、「現代雜誌社」、「中學生雜誌社」、「新生周刊社」等十六個文化機構。豐子愷還寫了一篇文章：「我與手頭字」來表示擁護。在文章裡，他提出自己與手頭字的三種因緣。第一是他從小就在家裡開的染坊賬簿上學會了許多慣用簡字，覺得十分便當，可是到了學堂裡用在默書課時，卻給老師罵個半死，以後倒不敢再寫簡筆字了。第二就是他自己的姓，十八畫的一個「豐」字，既難寫又難裝得好看，偏偏姓氏又改不得，怎不叫他深惜而發愁呢？如果改寫簡字，只有四筆，省去十四筆，就方便多了。第三是那些字的形式，跟他的畫很相像，因為他的畫也和簡字一般「不寫細部，僅描大體」，具有「個中全感」的美術意義。

作為國文教師的我，為了教學，自然死硬不准學生寫簡字。但事實上，對於有系統的簡化漢字，仍是十分贊同的，因為根據中國語文學習心理研究學者艾偉的測驗結論，最容易觀察和記憶的漢字，是一劃到十劃之間的字體。而每次看見學生吃力地費時地書寫一些結構繁複的文字時，就總覺得筆劃難度委實是一種障礙。文字既然是表情達意的工具，只要「約定俗成」，大家都懂，又方便應用，便完成它的任務了，不必斤斤計較要保持它原來的面貌，反正，現行的正體，也未必個個與古字相同的呢！

——刊一九七四年四月二十五日《星島日報》副刊「七好文集」專欄。

一九七四年

廣州話

是廣東人，從小在香港長大，自然可以說一口純正的廣州話。儘管有些學者說粵語存在著相當分量的古音，又說粵語語法帶了濃厚的中原古風，而我也天天說著廣州話，可是，從沒察覺它有甚麼好處。反而，一陣子我曾埋怨粵音太重濁，說起來總不夠溫柔悅耳；一下子又因為自己的白話文寫得不好，也把罪過推到「自小講廣州話」的頭上去。

等到，在一個陌生的環境裡生活了一年，說廣州話的機會十分少，才忽然覺悟，它是那麼的可愛！記得有一回，在電視節目裡，聽到一兩句廣州話，我快樂得有點狂。又有一次在鬧市中，背後飄來些粵語對話，驀然回首，我竟想跟兩個完全不相識的人交談一下。給朋友寫信，就更情不自禁地滿紙廣州話。多少次為遇到由香港來的朋友，拚命說個不停，把嗓子也弄得沙啞了。這些情況，如果不是自己親歷，恐怕一輩子也沒法子了解。

大概由於想念廣州話，對於用廣東方言寫的文學作品，也就特別留意了。在舊書舖中，我買到一冊「俗話傾談」。那是日人魚返善雄依粵東省城十七甫五經樓藏板、同治九年秋刊的版本，加以校點重排，一九六四年在日本印行的。編選的人是邵彬儒（博陵紀棠先生），他用廣東話和文言混合寫成了十八篇短篇小說，分成初集二卷和二集二卷。內容全是講忠孝節義，因果報應的，例如「橫紋柴」、「七畝肥田」、「邱瓊山」、「瓜棚遇鬼」、「鬼怕孝心人」、「修整爛命」、「生魂遊地獄」都可以說是古老粵語片常見題材，可是，由於他寫對白才用上粵語，又往往夾入一大段一本正經的評論，使人看來有些讀「古今奇觀」的感覺。在作者自序中說：「善打鼓者多打鼓邊，善講古者須講別至。講到深奧，婦孺難知，惟以俗情俗語之說通之，而人皆易曉矣，且津津有味矣。誦讀之暇，採古事數則，有時說起，聽者忘疲。因付之梓人，以備世之好言趣致者。」難怪諷世的意味那麼濃厚了。

讀著同治年間的廣州話，又讀了三十年代歐陽山用白話文廣州話寫的小說「衰仔」，再跟七十年代香港式廣州話比較一下，它們的差異，是個很有趣的問題。

——刊一九七四年五月三日《星島日報》副刊「七好文集」專欄。

一九七四年

貨聲

在京都，曾經看過一個「京都傳統民藝」的表演晚會。節目內容是把京都百多年來，傳統風俗、節日、祭禮、兒童遊戲、童謠、民歌都搬到舞台上去。在換景過場的時間，還加插了「京都貨聲」，於是賣布、賣浴盆、賣小木櫈、賣糖果的，都一一上場了。只見打扮小販模樣的人，挑著要賣的東西，走到舞台上，揚聲叫賣，腔調有長有短。台下上了年紀的人，就禁不住發出歡快的哄聲。看坐在我前面的一排老人家，又是拍手又是歡叫，甚至有幾個還和著喊，情形有點像小孩子看見愛玩的玩具，或愛吃的糖果般，頓時，熱鬧氣氛充滿了整個劇場。看觀眾的反應，相信扮演的一定十分逼肖，捕捉了已經逝去，而又令人回味無窮的市聲，也把老人家帶進童年青年的時光裡。在他們哄笑歡快之後，在回家途中，想必勾起許多早已沉澱的記憶和話題。然後，驚覺自己不再年輕，又是陣陣惆悵。

突然，想到香港，市聲貨聲，有該是有的，但早埋沒在更大的城市噪音裡了。加上，大買賣靠大眾傳播工具，犯不著沿街叫喊土裡土氣的；小生意聲嘶力竭鬥不過車聲飛機聲，用擴音器又嫌吵得欠自然，偶然在較冷清的街道上，大概還會有些固執的老輩人的叫賣聲：「臭豆腐」、「劏刀——磨——較剪」，蕩在寂靜空氣裡。但，誰有欣賞的閒情？這世界，可以聽的東西太多了。

看過有人寫文章記敘北京的貨聲，四季有著不同的叫賣聲，腔調有悽惻也有高亢，煞是多姿多采。也許，這些音調，平日聽得慣，聽過就算了，一旦離鄉別井，或者它被其他聲音取代後，就會從回憶中翻出來，觸起陣陣哀傷！

一晃許多年——那些漫長的夏天午後，三點鐘是：「椰子夾——酸羌」，四點鐘是「白糖——倫教糕」，該是五點鐘吧：「新鮮——豆腐花」，它們在甚麼時候竟通通消失了？怎的？忽然又在我記憶中全冒出來。

「人生有個真正朋友」，「邊個夠我威」……它們是通過電波而來，有時令人心煩。幾十年後，想起的貨聲是這樣子的，不知是甚麼味道。

——刊一九七四年五月三十日《星島日報》副刊「七好文集」專欄。

課本

每次，遇到小姪兒拿他那些甚麼國語作業、電腦式中文科練習本子問我，我就十分生氣。絕對不是沒有耐心教導家人的原因，也絕對不是他笨惹我一肚子火。看他一個晚上，要趕做中英算三科，十個八個習題，往往是又倦又怕的兩眼發呆，誰不想好好幫他一把？只是那些練習，全是半通不通的東西；不是陳腐得發酸的文言句子，就是似是而非答案的組合。填充的提示，簡直叫人猜啞謎，有些字音字義，又一本正經的考究起古音古義來，這叫四五年級小學生怎吃得消？有時仍沉住氣逐句給他解釋一番，但時間用得多，剝削了他的睡眠，已經夠慘，強他明白一些在他那年齡不該明白的東西，就更是殘忍。

我不準備罵小學升中試，反正多少年來，罵它的人多得數不清，卻只見愈罵愈變本加厲。據說不久會取消這個「誤盡蒼生」的制度了，又不知道換上哪一套把戲。不過，無論制度改成甚麼樣子，相信還是需要課本的。課本編寫的水準，直接會對學生發生影響。看中學生的作文，是一輩不如一輩。中學三四年級的學生，寫不出條理分明的文章，已經不再值得大驚小怪。句子結構的「恐怖」，更不知要用多少勁才令自己鎮靜下來。這怎可以責怪學生？模仿力最強的時候，就死啃些不三不四的「範文」，完全不配合文章作法的語彙，到了中學，還有甚麼辦法另創新貌？我看過幾本小學國語教科書，其中有些文字，簡直是最差劣的學生作品「樣版」。真替那些盡責小學教師們難過，面對那樣子的課本，該怎樣對學生解釋？其實，愈是低年級的課本，就得愈費心思去編寫，因為那是基礎的工夫。日本、新加坡的小學教科書，都由專門人材組成小組，作有系統研究編排，再加上訂正才出版使用。那不該是幾百塊錢，找個想賺這筆錢的人，東抄西拼，用一兩個月時間便可以解決的問題。尤其是那堆補充練習，教師無可奈何地非用不可，出版商為了「早出版早賺錢」，對小學生的毒害最深。錢是可以賺的，但願有心腸好一些、眼光遠一點的出版商，肯找人編寫一套好的教科書，錢依舊可以賺的！

——刊一九七四年六月七日《星島日報》副刊「七好文集」專欄。

一九七四年

忙

一陣梅雨剛灑過，抬頭看是滿窗新綠，陽光有些兒刺眼，但依舊給眼睛甜甜感覺。我把已經改好的卷子整齊一下，數數還沒有改的卷子——還有十七張，嗯！十七張。快了。提起筆向著吸水紙揩一下，把凝在筆端的紅色原子筆芯油拭去。密麻的紅點早蓋滿了吸水紙，該換上一張新的了吧？放下筆……去年，放下筆，我撐一把傘，去訪苔寺的苔，蹲著細細認住好幾種苔的樣子。去年，我也很忙，只是那全是自己的時間和工夫，可以忙得有分寸，閒也沒礙著別人，心裡沒有負擔，那種「忙」就輕鬆了。

說起忙，這是個「忙」的世界，誰不在忙？有些人忙得很有秩序，有些人卻忙得很亂。我有一個朋友，總是忙得令別人頭昏的。她整天在屋裡忙得團團轉，動作快、腳步密，只見她房間客廳跑來跑去，嚷著：「別催我！你千萬別催我。」其實沒誰催她，等老半天，她轉得人都眼花了，要做的事還沒做妥，但的確，她已經夠忙。本來，想稱她那種忙作「無事忙」，可是，又不妥貼，因為真正的「無事忙」，又不是這樣子的。記得郁達夫筆下的徐志摩：「一天到晚，他這裡跑跑，那裡走走，念幾句詩，寫兩行信，又匆匆地打幾個圈，看看男女朋友，和這個那個吃吃飯，接受接受來訪問他的老少朋友。一天工夫，就如此地忙忙碌碌過去了。但其實呢，則這些忙事，是一件也沒有甚麼重要的。」因此，朋友們就給他一個帶著賈寶玉式的綽號「無事忙者」。這種生活，看來瀟灑，卻也不是人人受用得。

我不拒絕「忙」，但千萬不要是無事忙，也不要是一星期裡擔任十班國文課的忙。因為我受不住沒有秩序的情況，更受不住力不從心的壓力。忙後小休，真樂才出來。也許，我太迂了點，有甚麼辦法呢？自從當上教師，便不自覺地秩序化起來，職業病總是免不掉了。……工作中，思想跑一陣子野馬，不算破壞秩序吧？再提起筆，換一張吸水紙，我細看剩下來的十七張卷。改罷！盼望窗外的陽光，腳步慢點，好待我工作完畢，還來得及看冉冉西沉的今天太陽，這不算苛求啊！

——刊一九七四年六月十四日《星島日報》副刊「七好文集」專欄。

❖ 證

她自言是一個很忙的人，她說到自己的工作和興趣、娛樂、生活也分不開。這也是她感到十分幸福的一件事，因為她的工作能足夠解決生活條件，而又能幫助研究，更是她的興趣。

——古慧賢〈人物專訪：盧瑋鑾〉，一九九六年四月，新聞與傳播學系學生個人訪問。

一九七四年

無能

班上有個學生，已經好幾天沒來上課，也不見家長來請假信，由於他一向成績差，最近上課時有點心神不屬的樣子，在實驗室裡打破幾個試管。惦念他不知出了甚麼岔子，正要撥個電話找他家長談談，他的母親就來了。

那個中年婦人顯然傷心得很。她管不住自己的孩子，丈夫當苦力，天天在外邊幹活，回家也理不了許多家庭瑣事。反正，兒子交給學校，操心的該是教師。有時，孩子在家果真頑皮得過分，一出手就叫他捱棒子耳光，打得死去活來，下次仍然再犯，當老子的也拿他沒辦法。粗口罵過，日間體力消耗的叫他翻過身就睡著了。孩子呢？十五歲。有手有腳的，放學後從不準時回家，有時回家來，書包往床上一扔，不作一聲，又溜出去了。攔他不住，也弄不清楚他跑到哪裡去。學校成績不好自然不在話下，從外邊回家，一時是失掉了恤衫，一時是不知摔倒還是被人打了，滿臉滿身藍藍青青。終於才發現他是附近幾個賭檔的老主顧，最愛賭的是外圍狗馬。哪裡來的賭本？原來省下車錢午飯錢，寧願走路抵餓，難怪是副營養不良的樣子。發現後又怎樣？阻止不了他。又不敢來跟先生說，家醜呢！也怕學校會趕出校。前幾天，說打碎學校裡的東西，要賠償五塊八毛，不知道真假，還是給了。隔一天，就說不再上學，因為書好難讀，找工作賺錢去。唉！世界艱難呢！他都不曉得。先生，怎麼辦？

怎麼辦？我實在不知道。這個學期才接手教這學生，每星期只有三節國文課，對住他們的時間少，還得趕功課和說身為班主任的話。第一二個星期，只好拿他們的相片和成績冊回家，努力對照片認人記名，首先注意成績差和有個別問題的學生，這男孩子就是其中一個。課餘的時間跟他談過兩次話，都是說些很普通的話，因為不能急一開口便是教訓，而他也聰明地避開許多可能反映自己校外生活的話題。我只希望：多給我一點時間去接觸他。但如今，家長沒辦法逼他回校上課，沒辦法阻止他去賭檔。我，有甚麼辦法？面對這些事情，只覺得自己無能和無援！

——刊一九七四年七月五日《星島日報》副刊「七好文集」專欄。

幾句意有未盡的話

憂慮了很久的事情，終於來臨了。滿以為有許多話說，怎料，幾天呆坐，寫不出半個字來。不想寫懷舊追憶的話，不想寫喪氣惻然之情，也許，這些話，早在一年前，周報突然「變貌」的時刻，我在遙遠的京都，獨自躲在宿舍小房間裡說盡了。

作為一個十多年周報讀者的我，曾經恨過周報，罵過周報，但也一直愛護它。相信有不少人，也有這樣的經驗。周報，有好的編者，有好的作者，有好的讀者，這些人都十分愛護它，可是，終歸，它仍然要倒下來。曾經有人盡力拯救它，但根基有了毛病，出多少力，只是徒然！

面對如此情況，我們大可狠一次心，也罷！讓它去。如果我們——編者、作者、讀者還是愛它，還有力量，就珍惜起來，一定再有機會，給我們聚在一起，共同開拓，讓周報的精神生命再植根。

沒有想過，周報沒等我寫完「蟬白」。但，讓我們決心說：「心不要死，我必重來！」

——刊一九七四年七月二十日《中國學生周報》1128期第一版「專題」，為《中國學生周報》最後一期。

中國學生周報

The Chinese Students Biweekly

寫給我們

幾句意有未盡的話

最後的感覺

❖ 證

我做中學生時已經看「中國學生周報」。現在，我當了人家的老師，還是看它。而且，還叫我的學生看它。但當我看見他們面對一份周報，那份惘然和不知所措的神情時，我不禁為周報痛心，也為他們痛心。……他們實在是有如一個患了嚴重胃病的人。當一個患嚴重胃病的人，不能吃飯了，我想，只要我們還有辦法與能力，把飯弄成稀粥時，大概還是可以供給這些低程度學生一些營養的。我一向都把「中國學生周報」當成一盆救命的稀粥。但他們的胃委實太低了，還是消化不了！所以，為活他們的命，我懇求周報在這方面，改變一下。

「中國學生周報」的許多篇幅，都幾乎有一個共同的特點，就是歡喜用很深和很專門化的術語，於是形成了許多很深的文章。這最使程度不高的人吃不消。還有一點：稀粥裡不可混了砂粒。否則是頗有害的。這就要說到快活谷版了。此版是一般學生最愛看的一版，也可以說是最易影響他們的一版。可是，這一版並沒有好好利用它的影響力，放棄了針對時局，作深入有力的諷刺與幽默方式，漸漸流入荒誕無聊的歪途上。我也愛快活谷，實在不想它變成稀粥中的砂粒！

——小思〈為飢餓者向周報進一言〉，見一九六六年七月二十九日《中國學生周報》732期第三版「生活與思想」。

悼莫儉溥校長

一位教育工作者逝世了！

靈堂上掛滿輓聯。有人嗟嘆朋友輩似晨星，有人稱讚他傳宏孔孟學術。作為學生的我，沒想過寫輓聯，但讓我在這裡，記述一下小學時代所得過的幸福和知識，來表示我的悼念和敬意。

小學母校敦梅學校的校訓是「仁義禮智信誠」；校長為學生而作的校訓歌：「仁為心德，人之定則⋯⋯」至今我仍能背誦出來；校長終一生之力都在宣揚孔教，但，在這篇文字裡，我不想提及那些，以免引起年輕一輩誤會，以為校長是個迂腐的老頑固。

小學時代，那該是很久很久以前的事了，沒有甚麼新式教學法，沒有要命的升中試，小學生輕輕鬆鬆的唸書，可是，學到的東西，卻比現在的學生不知多幾倍。那時候，小學生不懂甚麼同義詞相反詞，配詞看圖作文。但懂得全中國的分省地理概況，懂得中國自古至今的歷史概略，明白許多社會和科學基本常識，能夠起承轉合的寫出一篇通順文章。自從微跛而嚴謹的老校長去世後，年輕校長繼任，就帶給我們更多知識和活動，讓我們比別的小學生學得更多，玩得更多。

那時候，學校生活不像今天的多姿多采，小學生只老老實實上課下課，談不上有課外活動，校長卻開始為我們組織歌詠隊，給我們放映科學常識的電影，還有旅行、辯論會、小圖書館……。在小孩子心中，撒了下德智體群美的種子，他和老師們是踏實地做了。雖然，我們同學中，大概沒有幾個因此便成為歌唱家、辯論家，但在當時來說，的確開展了心眼。

不過，給我印象最深的，該算他們編訂的補充國文讀物。課本注重的是文言文，補充的是白話文。五六年級罷，我們已經知道巴金、茅盾、冰心、朱自清、魯迅、蕭紅。到如今，我還記得第一次讀到魯迅「秋夜」的奇異心境，讀蕭紅「呼蘭河傳」裡節錄出來，描述東北黃昏「火燒雲」的好奇聯想。

紀念文字裡總提他晚年事業，這不算公平，我願別人也知道他壯年時候的幹勁！

——刊一九七四年八月十六日《星島日報》副刊「七好文集」專欄。

參

❖ 小思：我升二年級，老校長去世。由他兒子莫儉溥先生接任校長。他在北京讀大學，一九四九年回到香港，承繼父業。自此學校有了新面貌，除了傳統的文言文課文外，小學二年級竟然開始教巴金、冰心等現代作家作品。中文科老師在黑板上抄出巴金怎樣寫日出，冰心怎麼寫雲，我們開始背誦白話文，然後默寫。

——《曲水回眸——小思訪談錄．上》香港：啟思出版社，二〇一八年第二版，頁七十三。

證

❖ 莫敦梅老師，字雪訪，廣東番禺鷺江人，生於一八九六年，畢生致力於教育事業。一九一九年在香港灣仔克街十三號二樓，創辦敦梅學塾，學童數十人。……一九四九年敦梅老師逝世，由其哲嗣儉溥君繼任教長。儉溥君家學淵深，早歲畢業於本港官立漢文師範，旋負笈國立中央大學，得法學士學位。對國學的研究，尤為深入。他年輕有為，接位校長後，對敦梅校務，努力推進，曾有所發展。

——王齊樂〈廿世紀初期香港的著名塾師〉，見一九七六年二月六日《華僑日報》，頁二十五。

一九七四年

秋風裡

一夜秋風。是來得太遲了的秋風，可是仍然叫人有點冷不提防。不知道是冷還是其他猜不透的病因，在巴士上意外撞傷的胸口，半夜裡，痛得我喘不過氣來。跌打師傅說甚麼氣門傷了，躺下來胸骨壓住會痛、講書用氣會痛，晚上必須躺下來睡。日間講書是工作重點，那只好讓它痛。師傅說晚上把敷的藥解下，如果痛得緊，最好坐起來。

半夜，秋風裡，閉目兀坐，想的是學生。

學生剛當上老師的日子最熱鬧，他們有四十個學生，就會有四十個話題要說。我的學生說他們的學生時的神情最好看。他們說學生怎樣的乖、怎樣的差，眼睛裡都透露著愛護的光輝，一憂一樂充滿了真切。

一個女警察，拖著一個眼淚鼻涕糊得滿面的小孩子，邊走邊哄著，像姐姐也像媽媽。好的警察會叫人感動，也值得多看一眼。走近了，才發現是學生當了警察，正帶著迷途小孩去找親人。

初進病房當值的學生護士，眼中有淚地訴說病小孩、病老人怎樣怎樣慘；怎樣安慰沒人探望的長期病者；怎樣安慰死者的家屬。

當空中小姐的學生告訴我怎樣了解各種不同身份的搭客、怎樣潔身自愛、怎樣利用工作餘暇去保良局幫助社會工作者協助問題少女。

當防白蟻技工的學生告訴我怎樣消滅白蟻、怎樣避免跟同事一起躲懶。

許多學生，就有許多不同的職業話題，但都有一個共通點！對自己的職業很真誠。不過，每次我向朋友提及他們的共通點時，總會有人冷冷地說：「走著瞧！初入行的熱誠靠不住，終歸鬥不過偌大社會風氣。」朋友以為我天真無知得連社會風氣力量也不懂。其實，正因為人的熱誠往往磨不過風氣，很容易一下子便敗下陣來，我才如此珍惜地記取學生們的似新苗般生命光輝。

新苗生長在污染的空氣、泥土中，還未成熟又得經歷秋來風雨，就必須勇敢堅強。否則，不多久，便「零落同草莽」了。

秋風裡，不是悲秋，只默祝新苗好好闖過這個秋！

——刊一九七四年十月二十四日《星島日報》副刊「七好文集」專欄。

參

❖ 小思：不能期望學生都做文學家、科學家，只希望他們做堂堂正正的人。在不同的行業裡有承擔感、盡責，熱切地愛他的工作。

——周燕明〈三重身份的互動與拉力——小思專訪〉，見二〇〇四年《啟思教學通訊》1期。

一九七五年

求知者

一個空蕩蕩的大課室，裡面坐著十一個人——有著不同的職業，都是下了班，從不同的地方趕來。大概是疲倦了，大概講授的人依著派發的講義逐句唸逐字解，間中，又說些幼稚得連小學生也騙不了的例子，每個人都顯得沒精打采。有兩個人的頭垂得低低，偶爾，重重地再墜下些的晃動，的確睡得很濃——可憐的求知者。

冬天晚風應該很冷，但我只覺得很好，不冷，剛好的一絲涼意，把鬱了個把鐘頭的悶意，吹散了。下次不再聽甚麼校外課程了。正如許多次聽完校外課程後，我都如此決定。

其實，我愛上校外課程。幾年前，無論日間工作多忙，夜間有多少卷子要改，我總不忘找一兩個課去聽。選的課多是自己感到興趣的，可能跟本身所學沒多大關係，可能跟工作有關連有幫助，有甚麼關係呢？反正，多些知識，不會有害處。

設有校外課程也真好，離開學校以後，也該不斷的進修，或者多求新的知識。說這個，香港人似乎不大流行，有空該搓麻雀，要知識可以躲在家裡看書。搓麻雀，我不懂得。要知識——尤其是一個新的知識，或自己從未接觸過的知識，最好有個老師帶領一下，有了入門的初階，發現自己興趣也濃，才再找參考書深入地看。這是個懶方法，但我覺得不錯。

從校外課程裡，的確學了許多知識。例如那科青少年犯罪問題，有實際工作經驗而萬分熱心的老師，給我們學理上的分析，舉出香港實際例子，談個案的處理經驗，帶我們去參觀感化院、監獄，舉行座談會。全是活的一課，好讓我們仔細思量一些社會背面問題。日後，在接觸被視為有問題的學生時，我會有更多客觀的分析和諒解。有些新知識進入生命中，真是滿心歡喜。

現在，校外課程的項目，真是多姿多采，可惜，能叫人滿心歡喜的講授者卻不多見。不負責的，不備課站在講壇上胡言亂語的人，苛刻點可以說沒有良心，因為他們對不起拖了疲乏身軀也趕來求知識的人。

——刊一九七五年一月十二日《星島日報》副刊「七好文集」專欄。

參

❖ 我將知識的追求放於生命的第一位。我的第一位有很大的空間，這是因為我欣賞人生的緣故。……我持著關心世界的信念，又不斷地吸取知識、追求知識，我得到很多，也覺得很充實。

——〈懷念與盧瑋鑾（小思）教授的一席話〉，見香港道教聯合會圓玄學院第二中學校報《玄風》創刊號（年份不詳）。

❖ 在時間的洪流中小思女士不僅要追上學生的潮流，還要趕上知識的步伐，不斷吸收學習新知識，就是做老師的最大樂趣，她樂意不斷地從不同的途徑接受新事物。

——〈有情校園——小思女士專訪〉，見一九九五年六月旅港開平商會中學《學林》28期。

狗、貓、魚

忽然間，許多人在說貓貓狗狗，也有人說腮鼠，真可愛，熱鬧。

關於狗，其實我從沒養過狗。據說當我還在學走路的孩提時代，家裡有一隻大到怕人的獵狗，誰都讓牠幾分，但牠卻肯讓我亂踩亂推。對於那隻狗，已經一點丁兒印象也沒有，家人這樣言之鑿鑿，多聽幾回，就憑空地愛上牠——連甚麼樣子也不知道就愛，很荒謬罷？幾年前，一隻不屬於我的中國黃狗，也叫人心疼，當寵慣牠的主人出嫁後，居然，凄涼死去。如今，依然記得主人出外牠就一面不高興的表情。

至於貓，自從家裡最後一隻貓，在父親回魂夜的第二天早上，不辭而別後，我便再沒有貓。雖然，依然愛貓，也該有幾隻貓可以說說，只是，「人仔人女」，唉，不說也罷！

現在，我要說魚，一條屬於我哥哥的老鼠斑。

誰到我家來，看見偌大魚缸裡，孤零零一條老鼠斑，必然先是不相信自己的眼睛，等證實的確有人養老鼠斑後，總會說：「那麼大可以吃了罷？」這時候，我就替哥哥心疼。

自小把牠養大，他倆的感情可真不簡單。可是，家裡其他的人對牠，卻沒有甚麼「好感」，因為，從沒見過如此一條只認得一個人、只歡喜一個人、愛鬧脾氣、愛斜眼看人的魚。

如果是狗，看見主人回來，狂擺尾巴，有甚麼稀奇？老鼠斑也這樣，就有點過分了。整條魚垂得直直，把嘴伸到剛露出水面，等著鮮蝦到口的模樣，恐怕不是普通魚的習慣，牠也只有哥哥餵牠時，才會表現得起勁。陌生人看牠，牠就躲在大石洞裡，僅僅露出眼睛，有時斜著眼，很陰濕的看人。鬧起脾氣來，全身淺褐色會變成差不多白色，或者拚命把頭埋入小石洞，碰碰撞撞，分明在折磨愛牠的人。平常，牠不大動，可是神經質發作，會把整大缸水翻動，坐在廳中的人全嚇一跳。哥哥平日說話莊重得一句是一句，就只有對牠說話是最溫柔。輕輕拍著魚缸，戴在指上的戒指把玻璃敲得啲啲作響，就是他們談天的時候了。

——刊一九七五年一月二十六日《星島日報》副刊「七好文集」專欄。

一九七五年

突破

遠在五十年前，上海一群熱心文化教育的人，像夏丏尊、朱自清、方光熹、豐子愷等都認真地大幹過一番。他們辦學校，開書店，出版叢書和雜誌，全都是為中學生和一般青年人的「文化生活」而努力。那一群人，可以說各有專長，但他們並沒有以專家學者自居，不拿深奧玄虛文字去唬人。寫文章，出雜誌，難得的是思想深入，文字淺出。不過，許多人卻認為淺就不夠水準，不夠高級。如此一來，便非深不可，到頭來，只苦了知識或文字水平不大夠的人：有些想求進步的，勉強用力讀了，面對滿紙黑字竟是不明不白，很易惹來力不從心的自卑。有些就索性不看，很快便被不健康又具吸引力的刊物「侵蝕」了。高深、健康的知識有甚麼價值？假如只是仙山中的靈芝仙草，凡人連碰一下的資格都沒有。

每次，想起一般程度的中學同學沒有可讀的雜誌和課外書，我就想起那一群人，想起當年他們辦的「中學生雜誌」，想起開明書店出版的青年叢書。每當中文程度不大好的同學問：「老師，我們該看些甚麼書報？」我就十分彷徨。每當看見壞人心志的書報橫行霸道，青年人沉迷得不分好歹時，我就痛恨。我是多麼的盼望有一股新清而強勁的力量，突破這個昏沉的風氣。

「突破」！用來作一份雜誌的名字，也代表了一群人的理想與精神，我想他們該是十分勇敢的。中學生有被黑勢力侵蝕的危機，他們便實實在在地用調查、訪問方式反映事實；青年人流行相信星座，他們便客觀、科學地解剖討論有關問題。許多專門知識變得如此容易接近；無數文字含蘊著關懷和愛心，編排也顯示了用心和美，這一切，都叫人感動，禁不住衷心稱讚。

在這昏沉世代，要辦一份好雜誌而又支持得住，實在不容易，大概跟當年那群人說：「最初是人拚命要辦雜誌，後來是雜誌要辦得人拚命」差不多。它必須突破許多阻礙，突破自己的缺點，這真是真拚命的，作為一個教師，為了自私的理由——自己的學生有雜誌可以看，我希望他們拚下去，我想，許多人會如此盼望著！

——刊一九七五年二月十八日《星島日報》副刊「七好文集」專欄。

❖ **證**

《突破》雜誌一九七五年一月創刊，一九九九年八月終刊，共出二百九十八期，首任總編輯蘇恩佩。（《突破》雜誌創刊號，網上圖片）

鳳兮

在銀幕上，幾個女孩子的臉龐在閃動。我兀坐著，滿懷濃烈淒然。

她們不再是孩子了，但在心底裡，我依然叫她們孩子。也許，淒然，不該是我所應有，因為我與她們原沒有半點連繫。靜靜思維，那些淒然，該是啟自關懷，而當年的關懷，又是那麼無端！

紅氈上，她們一舉手一揚眉，都看得出是塊璞玉，正接受老師傅的精心琢磨。自然，難免處處仍露刀斧痕跡，但璞玉初開，未有自我面貌，誰也不該苛求甚麼。只見老師傅心血，一點一滴凝在上頭；璞玉也咬緊牙筋，接受切膚的一刀一斧。那是條漫漫長路，大家都要有無限的耐力，和付出極大的代價，然而，她們都肯走，於是，就這樣，我無端地關懷上了。

一個仲夏的黃昏，她們盤膝坐在草地上，搖頭傻笑地有一句沒一句回答我的問題，就自那時刻開始，我竟然一廂情願地擔承了許多「責任」：為她們的未來擔憂，為她們的未成形著急，為她們得到青年人的認識而高興，為她們一時受老師傅過嚴刀斧偷偷哭了而疼心。屈指算來，原來已經好幾年了。到如今，大概，她們會以為自己受足琢磨，可以成器地善價而沽。又大概，她們實在明白琢磨未夠，只是買玉的人心急，環境迫人是無法不賣。或大概……我兀坐在那兒，滿懷淒然看著。驀地，多少年的熱心，全都冷了。也許，冷的不該是我，因為我只是個沒有半點關連的旁觀者。冷的該是她們自己？該是曾經付出心血的老師傅？

好玉又如何？必須遇上卞和。遇上卞和又怎樣？卞和抱住好玉，遇上不識貨的厲王和武王，到頭來累得自己斷了兩條腿。幸而卞和不冷，和璧才有出頭日子。這個世代，眼光短小急功近利的買玉人多了，就是卞和不冷，恐怕也未必可以保得住好玉落在識貨人手中！

這個旁觀者，多少年來說了許多熱心話，如今，只有濃烈淒然。

鳳兮！鳳兮！

——刊一九七五年二月二十三日《星島日報》副刊「七好文集」專欄。

證

❖ 一九七四年十二月二十五日《工商日報》頁九：〈任劍輝親自指導　雛鳳鳴新片錄音〉，內文報道：「雛鳳們曾作過很多次公演，但都未上過大銀幕。製片家鄧仕樑有見及此，為普及大眾同欣賞這班新秀的優秀演出，特策劃由她們擔當主演一部粵語故事片。這部片，就是『三笑姻緣』（唐伯虎點秋香），由李鐵擔任執導工作。據悉，『三笑姻緣』將會是今年春節的迎新歲作品，昨日起已開始開拍前的工作——錄音。」

❖ 一九七五年一月三十一日《華僑日報》頁八報道：〈三笑姻緣昨日試片　李鐵與雛鳳鳴亮相〉。

任劍輝親自指導
雛鳳鳴新片錄音

由任劍輝、白雪仙一手培養出來的「雛鳳鳴劇團」，現已成爲粵劇界最優秀的接班人，她們目前已能獨當一面，而且甚受戲迷們歡迎。

「雛鳳」們曾作過很多次公演，但都未上過大銀幕，製片家鄧仕樑有見及此，爲普及大衆同欣賞這班新秀的優秀演出，特策劃由她們擔當主演一部粵劇故事片，這部影片，就是「三笑姻緣」（唐伯虎點秋香），由李鐵擔任執導工作。

據悉：「三笑姻緣」將會是今年春節的迎新歲作品，昨日起已開始開拍前的工作——錄音。雛鳳們在師傅任劍輝的指導下，工作得很順利。

「三笑姻緣」除「雛鳳」外，還有數大電視電影紅星參加演出。

「雛鳳」有龍劍笙（演唐伯虎）、梅雪詩（演秋香）、朱劍丹、言雪芬等。

「紅星」有梁醒波、譚炳文、李香琴、沈殿霞、梁天等。

一九七五年

新頁

等如一本好書：每一頁都有叫人觸動感情的字句。讀過的，在些甚麼日子裡——不一定是冷雨敲窗，不一定是午夜夢迴，也許卻是在熱鬧的街頭，它的每一個字，像攪動了的水中沉澱，紛紛然全泛上來。還沒有讀過的，那就更有緊緊拉住人心的力量了。這一頁還沒讀罷最後一行，手已經掀起下一頁的角緣，是有點著急，這頁之後，新的一頁究竟會怎麼樣。人生也該如此！

讀一本好書，要保持真趣，是要一頁頁讀。但偶然，心急的讀者會「犯規」，急得先看了最後一頁的結局，好安了心。人生，沒有「犯規」這法子，看相問卜，隱隱有「犯規」的意念，可是，天機真趣還在我們掀動的一頁頁新頁中。新頁，是生命向前邁進一步的動力和表現，年輕的人總該勇於新頁！

每年，到了這四五月，對於許多人，正是一頁快完，新頁要掀的時候，我們都叫那是「畢業」。也許，我讀完的一頁，字句有些的確艱澀，同學們感到很吃力，對新頁便失去了信心；

也許，這本書委實有些轉彎抹角，作弄得人又怕又惱，於是，竟然都不大敢去翻動新頁，只嚷著：「啊！怎麼辦才好？」

學生也皺著眉跑來對我說：「啊！我們怎麼辦好？我們該做些甚麼？」我該怎樣說？新頁好的壞的，誰有預知的力量？「考試成績要好」是一個決定新頁好壞的重要條件，但卻不是唯一的條件。作為老師的，把新頁說得太美太輕易，是騙人的話，當然不應該，何況說了也騙不了人。不說甚麼嗎？學生就更失去信心。這樣，我就說了！

既然，新頁是肯定的必須要翻開，我們就勇敢些，不必想得太多，去翻開它吧！頁的內容，跟我們的看法和執持的原則也有很大的關連，充實自己將會使看法更透徹，原則更堅定。哪怕新頁是好是壞，我們早已負起了責任。

有一群中五同學要翻新頁了，我說我不會寫詩或紀念冊，就把這篇東西送給她們吧！

——刊一九七五年四月二十三日《星島日報》副刊「七好文集」專欄。

一九七五年

寬容

一個有問題的學生，背後多數有著一個有問題的家庭，或者一個、兩個有問題的家長，這是多年來工作經驗得到的「理論」。幫助一個頑固學生明白一些事理，比請一個自以為明白事理的家長去明白一些事理難上千萬倍，這是多年來工作經驗積下來的「苦水」。

多年來，對於成人、家長的不寬容態度，我該屬於激烈派，曾不只一次說要開間家長學校，好讓許多人懂得做家長該懂的道理。我總說他們不該：不了解自己的孩子、不給予溫暖和愛、不做孩子的朋友、過分以自我做中心或蠻不講理、不和學校合作糾正孩子錯誤……大概可以開列一千種不該的罪名。等到多次見家長和家訪後，才知道自己多麼不公平。清楚記得一次要見一個很有問題的學生的家長，學校發了兩三次信，還沒見人，差點要開除那孩子了，做母親的一大清早就來：把菜籮放在門口，那麼不安地用手揉著有兩個大口袋的藍圍裙說：「先生，好心啦！我八個仔女，佢最大，我哋唔識字，佢阿爸做泥水，唔得閒，又唔識教，個衰仔又唔聽話……」也許，立刻有人會說對啦，就是做父母的錯，為甚麼他們不節育？我也曾如此想過。

但漸漸，我明白他們是要負責，卻不該負全責。他們沒有受過教育，又怎懂得甚麼節育、教養問題？生活擔子兩肩挑，從早到晚，他們在外邊也沒有溫暖和愛。他們沒讀過甚麼心理學，生活只教他們一肚是火。對於他們，我竟苛求，竟不寬容，你說多不公平！

最近，有人認為禁映超人片集，是成年人缺乏信心的表現。啊！如果你見過他們，就實在明白在他們世界裡沒有「信心」這詞彙。的確，禁映不是辦法，人家日本都不禁。唉，人家日本是個社會制度相當健全的國家，人家有好多理由和條件讓家長充滿信心。我們的社會怎麼樣？「禁」是沒辦法中的辦法。受過高深教育，有相當時間和信心把孩子從「超人世界」裡拉回來的人們，請對沒有信心的人，寬容點罷！

——刊一九七五年六月十六日《星島日報》副刊「七好文集」專欄。

證

❖ 一九七五年五月十日《大公報》頁四：〈渲染暴力 怪誕離奇 「超人」片集影響不良 東頭村部分家長提五項建議促禁映〉。

❖ 一九七五年五月二十二日《大公報》頁五：〈模仿「超人」幾乎釀成命案 澳一小童險些墮樓 幸被家人救回其弟亦曾幹過傻事 麗的電視宣佈減少播「超人」節目〉。

模仿「超人」幾乎釀成命案

澳一小童險些墮樓

幸被家人救回其弟亦曾幹過傻事

麗的電視宣佈減少播「超人」節目

【本報訊】麗的電視昨日正式宣佈，中文台逢星期一、三、五播映的「蒙面超人」片集，由下周起，逢星期三播出的一次取消，改播粵劇「小丫頭」。至於中文台逢星期四播映的「閃電超人」片集，亦由下週起取消，改播「青春俠女」。

無綫電視星期一至五的「超人歷險記」節目，已由五月十九日開始，由「愛犬[illegible]」片集代替。

【本報訊】澳門消息：「超人」幾乎累死一小孩。前日下午四時許，沙梨頭海邊街勤大廈二樓，有一名姓何的七歲男童，受了電視節目「超人」的毒害，一放學返家便喊着「我係超人！」攀上騎樓花架，雙手緊握鐵架，身體向外懸空，隨時會有失手墮下之虞。途人發覺驚呼，街頭聚集百多人，均為處於險境的小孩擔心。何家人後聞訊，急將小孩救起。據街坊說，前幾天，這個傻孩子的弟弟，也經歷過這樣一次險事。

一九七五年

悼

「廿年庠序蕭寥感。萬里家山惻愴心。」

有一年，秋風燈影下老詩人寫著蒼涼的詩。

老師：也許，您是不該教書的，尤其是教詩。記得您第一次踏上講壇，就說：「沒有情的人不能作詩，不能讀詩。沒有情，學學化無情為有情罷。」我們那時還年輕，只顧抿著嘴笑，其實不大懂您話裡的意思。但以後的四年裡，一首首不成樣子的詩，也終像個樣子了。往往在您筆下改動過的一個字上，我們學懂了「詩」。從「風窮酬唱」這件您認為得意的事裡，從您毫不計較地印了書給我們，從您為一個肺病早逝的年輕人出版詩集等事情上，我們才慢慢懂得您的話，也懂得您。這樣慢慢，這樣師生都得掏出心來才可以互相了解的學習情況，在一天比一天講求效率和人際疏離的世界上，是不再容易辨得到了。

蕭寥感！那恐怕不單是您一個人的感受。教書的人，都該深深體會得到，甚麼滿門桃李，雖然是眼前一片繁花耀目，但終歸也是隨風四散，驀然回首，誰不蕭寥？

老師，記得那年您病倒了，我們雖然還年輕，倒明白一個沒有家人在旁的老人的悲哀，同學們輪班看護著您。病床上，您不止一次說：「我想我要死了。……有個孫兒，該很大了。……我遙遠的家裡，有很多很多書，唉！相信都沒有了……」我們不懂得該說些甚麼，因為萬里家山的惻愴，絕不是幾個年輕人的傻話，可以消除，只好默默的聽著。

今年，我們是各忙各的，誰都不知道您病倒，消息傳來，您已經去世了。雖然，您教過我們寫祭文、輓聯，但我從沒有想過要為您作那些東西。就讓我這樣說吧！老師：既然，誰不蕭寥，便別把它記掛在心裡。孫子已經長大，您已經見過他；家裡的書還好好的，有人為您保存住，您也見過了，相信惻愴之情，總該褪了，就安心吧！

——刊一九七五年九月二十三日《星島日報》副刊「七好文集」專欄。

參

❖「廿年庠序蕭寥感。萬里家山惻愴心。」出自曾克耑〈秋興次杜韻〉，刊一九六九年十一月《新亞生活》。詩共八首，第一首原文：

東方珠暈罩林林，壓海鑪峯氣鬱森。霆電追飛弄星月，風雲開闔幻陽陰；廿年庠序蕭寥感，萬里家山寂歷心。絕歎蘭閨鐙影裏，宵深猶為試清砧。

(3951)

工管系迎新日後記

二年級 王培洲

[illegible]

籃球比賽一鏡頭

秋興次杜韻

曾克耑

東方珠暈罩林林，壓海鑪峯氣鬱森。霆電追飛弄星月，風雲開闔幻陽陰；廿年庠序蕭寥感，萬里家山寂歷心。絕歎蘭閨鐙影裏，宵深猶為試清砧。[illegible]

—7—

第十二卷 第八期

證

❖ 一九七五年九月五日《大公報》頁五：〈曾克耑昨晨病逝〉，內文報道：「前暨南大學教授、中文大學講師曾克耑昨晨八時十五分病逝瑪麗醫院，終年七十五歲。曾克耑號履川，福州人。於一九五二年至七四年任新亞書院中文系兼任講師。」

曾克耑昨晨病逝

【本報訊】前暨南大學教授、中文大學講師曾克耑昨晨八時十五分病逝瑪麗醫院，終年七十五歲。

曾克耑號履川，福州人。於一九五二年至七四年任新亞書院中文系兼任講師，一九七四年八月至今年七月三十一日任中文大學中國文化研究所研究員。早年曾任上海暨南大學教授。生平致力古詩文，擅書法，有著述多種刊行。

噢！大拇指

「噢！大拇指！」帶給我一份新的喜悅。

打從中國學生周報逝去，時刻，心中都有一份難言、深沉的荒涼感。盡量不提起，從沒給她的逝去寫過悼文；好像根本沒有她已逝去這一回事似的。儘管是她由小把我帶大，但畢竟老了、病了，委實不忍她半病不死地在人前掙扎，曾多麼堅決的說就由她去吧！總以為自己抵得住這種損失。怎料，事實並不如想像那麼簡單。

小時候，就有過這種荒涼感。我曾擁有一隻瓷小貓，在缺乏玩具的童年時代，它簡直是件珍品。當它從手中滑脫出來，溜到地上之前，我急忙伸手去救，可是，就只差那麼一點點，抓住的是空氣，它早碎得一地了。

蹲下來，拾起一片圓耳朵，看住它，就有荒涼自心底泛起。此後，遇上失卻甚麼心愛東西，而能力不可補救時，就會重溫這種感覺。

中國學生周報沒有了，許多人都感到有一宗事情要趕著做。有些人說出來，有些人沒說出來，但大家幾乎全知道那是宗多重要的事情。很快，有些熱切的人不只說了，動手就幹。每次，我都深深感動地看人家的努力和成果，但奇怪，依舊沒法子祛去那心底荒涼。

「噢！大拇指！」我清楚，它絕不是中國學生周報，有甚麼關係呢？從沒要求它像誰，它就是「做苦工不辭勞苦」的大拇指。

有自己的個性，認清自己的工作責任，那就很好，何況，我們不是該有些新鮮空氣麼？「文藝」、「書話」、「專題」、「生活」、「電影」、「校緣」……許多人的熱切，一頁頁生動了，忽然心底的荒涼消失了。

相信，以後的每個星期四，又有事情等著做——像許多從前的日子一般：等一份周報出版。

——刊一九七五年十一月二日《星島日報》副刊「七好文集」專欄。

證

❖《大拇指》周刊一九七五年十月二十四日創刊，逢周五出版。創刊編輯包括張灼祥、也斯、西西、鍾玲玲、何重立、張景熊、何福仁等。一九八七年二月十五日終刊，期間曾改為雙周刊、月刊。（圖：《大拇指》1期）

大拇指
周報
第一期
青年學生看——我們的電視節目有什麼問題？

不悲不慟悼先生

一九七六年

先生去矣！我竟無淚無言以送。

去年八月下旬的一天中午，孫大姐突然打電話來：「一個消息，但不會是真的，你別信！豐先生去世了！……不會是真的，你別信。」她的聲音如此低沉，愈說別信就愈叫人不能不信。我倆沒談別的話，默默掛上電話。恐懼已久的消息來臨，整下午，我勉力叫自己真的別信，更說著就是真的，對於年老的豐先生，也該有安息的好處。

半年來，這疑幻不定的淒懼在心間半隱半現，我不敢對人提起，生怕提多了便假變成真。到如今，消息確定了，心底竟有釋然的寧靜。

先生對弘一大師有一宗心願未完，我對先生也有一宗心願未了，也罷！大概緣止此矣，不必強求。今生能識讀先生畫，已是萬幸之緣。

先生的畫是一片真機，瀰漫了對人間物界的熱愛，但必須有赤子之心才能投入。

願有生之日，仍愛讀先生的畫，願世人愛讀先生的畫。

先生去矣！我不悲不慟，願先生鑑我。

——刊一九七六年二月十三日《大拇指周報》16期第二版，作者署名明川，是期有「豐子愷先生紀念專輯」。

❖ **參**

小思：還未唸小學，一九四七至一九四八年左右，香港與廣州仍然往來方便，我的姨丈來香港暫住，帶來兩件禮物給我，分別是一本豐子愷的漫畫，以及數張《十竹齋箋譜》的複印本。那時我並不知道有甚麼意義和價值，只覺得書中畫有小朋友的漫畫，非常有趣，便經常翻閱。……看漫畫是我從小到大的愛好。當我接觸到與香港本土漫畫風格不同的豐子愷漫畫，便愛不釋手。直至小六、初中左右，我才開始閱讀豐子愷的文字，讀《緣緣堂隨筆》，這種漸進式的閱讀經驗，及個性使然，純樸的、自然的，以及談論小朋友的文章風格，很吸引我。影響我一生。

——《曲水回眸——小思訪談錄．下》，香港：啟思出版社，二〇一七年，頁二十七。

社區健康計劃

每天，我打從觀塘的邊緣走過，回到藍田的心臟地帶，經過八小時工作後，又從原路離開。那麼匆匆，在公共汽車上，我一瞥這個交通繁忙，人潮往往橫截汽車去路的市區，絕沒有想過這兒原來擠了六十萬人口，更沒想過不擠到馬路上來的人口裡面，可能有多少病倒在床上的人。

六十萬人口，只有一所僅容五百人的醫院，和少量的診療所、健康中心。六十萬人口，有無數在經濟情況不佳，無依貧病躺在家裡的人，卻只有十一個受過訓練的社康護士和百多名熱心義務工作者去照顧他們。這些數字，對於一個健全的，工商業不斷在發達的都市，是個恥辱的記號。

洗雪恥辱，應該是政府的責任。但在這恥辱仍然存在的時候，熱心人絕不肯袖手讓痛苦毫無顧忌的蔓延人間。於是，一個新構思就在醫院不足的情況下產生了，那是由聯合醫院推動的觀塘「社區健康發展計劃」。教育社區內的每一個人，懂得健康的重要性和預防方法，讓居民了解自己對社區健康的責任，共同擔負保障和促進區內健康的重任，是這計劃的重要目標。其實，這些課題，早應該列入健全的中小學教育課程內，每個市民都應該知道的。可惜，目前情況告訴我們，許多「應該做」的事都差了一大截，於是，只好由一批熱心人來擔當，也只好由一個擁有六十萬人口的社區開始做起了。

教育沒病的人預防疾病，當然十分重要。病了的人需要醫療也十分重要，病床不夠，已經是不必細表的事。提早出院而仍需護理的病人怎麼辦？永久傷殘而又欠家人照顧的人怎樣活下去？那就得靠社康護士和少數的義務工作人員的努力了。他們叩開病者的家門，送上病人應得的醫療護理外，更送上愛心、信心、耐心。跟其他熱心社會福利的工作者一般，他們正默默地在黑洞向外開鑿，希望鑿出一線陽光。

「社區健康計劃」只是個開始，長路漫漫，需要更多人作伴！

——刊一九七六年二月十三日《星島日報》副刊「七好文集」專欄。

沉默的軍隊

我還得再說說社康護士和那些義務工作人員——

在聯合醫院開放日的那天，首次看見穿上深藍色制服的社康護士，我還以為她們是救世軍甚麼的組織。不錯，她們救世，她們是支軍隊，但並不屬於救世軍，如果說是軍隊，那恐怕是世界上人數最少的一支軍隊了，只有十一個成員。十一個合格護士，再受六個月特殊訓練，攜了藥箱，上門到病人家裡料理病人——不止料理他們身體的毛病，有時更照顧病人的心理需要，教導病者家人怎樣照料病人，請病者隣居發揮互助精神。這些比單照顧病狀來得更艱鉅的工作，更具意義的行動，就由社康護士默默每天做著，這是一支沉默的軍隊。

畢竟十一個人的力量不足夠，正規軍隊以外，現在多了百多個民兵——義務工作人員。他們來自社會各階層，都願意在課餘公餘，付出寶貴時間去為需要照顧的病人服務。這些完全沒有醫療常識的熱心者，必須接受九個星期的社康護理基本訓練，然後緊隨社康護士投入實際工作行列。給病人換藥抹膿，絕不會是件好過的愉快工作，但百多人正默默地做著。我第一次知道有這類義工的存在，是從一個學生周記簿裡讀到的。那學生正是義工一分子，她敘述怎樣協助一個老病人出院回家的情形。對於沒有家人照顧的老人，她有很多感慨，而且更引起她對生命意義的思索。那次的周記充滿感情，當時我只注意事件對學生思想的影響程度，卻沒把義工這回事放在心頭。到最近，「義工」這名詞，才深深印在腦海裡。

據說社康護士和社區健康發展計劃，還沒受到政府和專業人士的接納。在現代化社會裡，由於醫院不足而要逼出一個社區健康發展計劃，已經是很大的諷刺，有人願意努力補償不足，卻仍不受重視，那諷刺就更大了。

為貧病無告者，我向這支沉默的軍隊致敬！

——刊一九七六年二月二十二日《星島日報》副刊「七好文集」專欄。

證

❖ 一九七六年七月二十日《工商晚報》頁一：〈醫院以外的有效「疾病防線」「社康護理」白衣天使〉，內文報道：「社康護士是協助進行社康護理的護士小姐，目的在醫院範圍以外建立一條防止疾病的更有效防線，因為她們主要的工作乃幫助老年及患慢性疾病的人在其家中接受治療，而這不但是藥物治療，亦有顧及其他社會因素。……既然社康護理有這麼大的潛能，為何在這個有四百多萬人口的地方中，只有廿多位的社康護士？這個人數上的比例，顯然是少得可憐。」

醫院以外的有效〔疾病防線〕

〔社康護理〕白衣天使

一九七六年

母校

在堅尼地道上，有一幢古老陰森大屋，裡面應留著我們最青春的痕跡。有時候，很渴想能再站在操場上走廊裡，追檢那早已逝去的年輕的夢，這些場面，雖然有點哀傷，其實也帶著濃濃情意。

想起母校——金文泰中學，自然想起：那些深褐色舊得發亮的木桌木椅，樓上課室外長長狹狹的小露台，樓下嚇得女同學叫救命的鬧鬼廁所。當操場上兩棵高大白蘭樹開花的日子，我們總愛講樹下埋了許多屍體的恐怖傳說。在小小禮堂裡，我們站著聽演講，排在後面的，還得提起腳跟才看到站在矮台上演講的人。唸上午班時，下課鈴聲一響，便要趕緊走出校門，好讓下午班同學進去上課。唸下午班時，如果早了點回校，就要站在太陽下，風中雨中等進校門。我們沒有多一點兒空間可以走動，小息時也只好在課室裡團團轉。也許，現正在新校舍唸書的同學，沒法子想像那種古老侷促情況。不過，說實話，我們也沒埋怨過侷促或簡陋，因為，六年來，我們從裡面得到知識，是一個廣闊的天地。

想起母校，自然想起老師。我常對學生說，自己很幸運，唸書以來遇上不少好老師。那時候，還沒流行甚麼新式教學法，也不曾享用過幾種教具，只是有學問的好老師，踏實地教，我們踏實地學。今天我們能在工作崗位上站得起來，也該謝謝老師給我們扎好根基。當然，我們更忘不了：誰叫我們多穿件衣服才好去運動會場，免得著涼了，誰在星期六下午還肯留下來為我們補聖經課，誰在作業上作細心批改，誰苦口婆心教我們做人道理。也許，老師都忘記曾為學生做過這些好事，但刻記在心的大有人在。

母校金禧紀念，我不懂說甚麼善頌善禱的說話。五十年，一百年，原只是個數目，重要的該是她培育出來的兒女，都能堅守著「文行忠信」的做人原則。

讓我在暖暖的回憶中，對母校表示從沒說出來的謝意。

——刊一九七六年三月二日《星島日報》副刊「七好文集」專欄。

參

❖ 小思：我中學唸的是金文泰中學，是所官立學校，沒有小學那種嚴，老師不會打罵學生了，但也有另一種「嚴」。有幾位老師很嚴，是嚴格，他們不責罵學生，但對我們極嚴格。……嚴格的老師都是先對自己嚴格，無形中感染了學生。

——《曲水回眸——小思訪談錄．上》，香港：啟思出版社，二〇一八年第二版，頁七十七。

一九七六年

我願意

教書的這些年來，日子真過得飛快。從課室到課室，從白堊粉飄飛影裡，從紅筆在習作簿移動中，時光躡足溜走。我從不回首細檢那些日子。偶爾，一個鍾愛的學生在遠方投來一幀結婚照片，一個頑皮得叫我頭痛的學生，帶了兒子跑來打個招呼，才猛然想起，原來真的過了如許春秋。正當無限感慨要浮上來的時候，我就趕緊把自己打發到忙碌裡去。儘管有人要笑我懦怯得不敢面對現實，其實，這正是勇敢投入現實的好方法。教育這個行業，我這個年齡，無端傷感，最不相宜。

那天，回到母校，退了休的老師都回來了，我是那麼真誠向老師們行禮，從他們的白髮、皺紋，我讀到自己的未來。當潘海紅老師站到台上去，全場老少學生不約而同鼓掌時，學生的心正向曾為自己付出過心血的老師致敬。也許，掌聲算不了甚麼，也許學生一批批離開了，沒有常去探望老師，但老師曾付出多少，學生是知道的。教書，一個最寂寞，也最不寂寞的行業。

在最近一期「新教育」上，讀到一篇訪問何中中校長的文章，就好像讀了一個感人的淒然故事。

「……不過，我個人的事也沒有甚麼值得談的，還是談談學校的事吧。……我在真光服務共有三十四年多。……」

三十四年，這個筆劃簡單的數字，卻並不簡單啊！它刻劃著一個人最青春最精壯的時光。的確，個人還有甚麼值得談的？個人生命已經完全與學校教育結合起來，愛得那麼深，如何分得出你我？全面付出與犧牲，對於一個女人來說，不能不說是宗壯烈的行動。三十四年，一彈指過去了，回首卻是很悠長的歲月。

「教育是一種工作，它慢慢地引導人走向正路，注意是慢慢的，誰也急不來，大家可得耐心呀！」在漫漫長路上，前面響起這聲音！

我願意！義無反悔！我來了！

——刊一九七六年三月二十日《星島日報》副刊「七好文集」專欄。

參

❖ 我記得六年級的日記中已清楚記載自己很喜歡當老師。……所以到現在我仍然對自己，對別人說：教書是我海枯石爛，矢志不渝的終身所托。

——〈小思——一些事．一些情〉（訪問：姚婉華、顧豪君、陳少妹；整理：姚婉華），見一九九〇年香港中文大學開放日特刊頁三十一。

❖ 我感謝上天賜給我一份可托終生的職業。我愛我的職業，我愛我的學生，他們是我生命的全部，失去了這些，也等同失去了生命。所以，我要傾全力去化育新一代，以報上天的厚愛。我只盼望將來人們在我的墓志銘內寫，我是一個老師。

——汗青、胡馬〈小思——風來小思化春雨〉，見一九九〇年《城市理工學生報》5期。

證

❖ 二〇〇二年四月十九日，（盧瑋鑾）老師在中大上最後一課。我後來在香港電台拍的一個電視特輯中看到，那天課到尾聲，老師說：「我昨晚一夜未眠，因為我真的好喜歡教書。」語未畢，人哽咽。

——周保松〈當春風吹過〉，見二〇一五年八月四日《明報周刊》2438 期。

一九七六年

一天

有時，我的一天是這樣開始的……

木棉花、紫荊花都已經開得滿枝，香港的春天卻總如此三心兩意，要來不來。大清早，天頂灰壓壓，飄著似霧冷雨，叫人心情鬱悶，想伸手撕開天頂一條縫，讓陽光偷下來。

那麼又冷又濕的清晨，我回到學校休息室，通常會捧一杯熱茶，坐下來瞪住桌子上一排書。朱帶著尋常易見迷惘的眼神，倚在書桌邊，操著那沒骨而無奈的聲音一句一句在說話：「昨天，我到金冠飲茶，碰見那個中一退了學的學生呢——沒告訴班主任要退學的那一個。她說她搬家了，現在，有三份工作，平日在工廠裡幹活，星期天在金冠賣點心，晚上還要替人家補習。家裡要錢維持，沒法唸書了……」她轉移了一個位置，繼續說下去，都是關於中一學生的。大概她不單對我說，往後的說話，竟像絲絲抽散了的柳絮，只在我耳畔飄過，大意地，我沒捕捉到任何一絲。中一學生，三份工作，賣點心……一個短小影子，雙手捧著半掛在肩上的點心盤，點心籠遮住了她半個身子，瘦小的手遞過熱騰騰的點心籠後，顯得通紅。……

區老遠從她的座位跑過來，睜著一雙快樂眼睛，聲音又快樂又堅定地對我說：「喂！告訴你一件開心事，我有幾個學生合力收養了一個保良局裡的孩子，每人每月給他十塊錢，還去看他呢！哈！她們養了一個孩子，真有意義！真好！嗯？好麼？」好！當然好！往後，大概我問了那孩子爸媽呢等等一類話。心裡卻有點衝動，想立刻跑去找那幾個平日總嫌自己生存在世上沒意思，唸書嫌苦，吃飯嫌膩的苦悶人，告訴他們這兩件聽來的事。但我沒有做，因為上課鐘聲響了。

那麼又冷又濕的清晨，天頂灰壓壓，我想伸手撕開天頂一條縫，讓陽光偷下來。

挾著筆記本，步過一條長廊，開始我一天的工作！

——刊一九七六年三月二十八日《星島日報》副刊「七好文集」專欄。

證

❖ 讀中學時，我們幾個同學已經合夥助養保良局兒童了。我們抱著冒險精神，打電話給保良局的助養部，糊裡糊塗給我們約了一位好像姓鄧的姑娘。六個女學生於是坐小輪過海去到銅鑼灣保良局，在古色古香的辦公室，鄧姑娘給我們解釋甚麼是助養，每月費用多少等，然後就帶我們去見一些可以挑選助養的女孩。她們都是五六歲的，我們很快挑了一個十分熱情主動、叫阿包的女孩。那時助養也不貴，印象是每月六十元，我們六個就每人十元，負擔得起。

——伍淑賢〈阿包〉，見《夜以繼日》，香港：文化工房，二〇一七年。伍淑賢當年就讀藍田聖保祿中學。

夜市

黃昏，中環新填地公廁旁的小發電機轟轟響起來，電線一條一條架在空間，然後懸到小攤檔的鐵管上。聯營的飲食大攤子開得最早，繞佈在它外圍的甚麼椰汁蔗水鹵味小攤，也早鬧哄哄了。中央地段還冷落得很，不必著急，位置大概是號定的，人們也總先吃飽肚子，才來逛雜貨衣物的夜市。

牛肉粥，魚丸生菜湯，生炒糯米飯，好吃，只是也不便宜。「別想當年，又說歷史。五角錢一碗牛肉粥的日子早過啦！」阿慧老愛用冷水應付我的過敏懷舊症。

中央部分的小攤子陸續開了，做買賣的細心把貨物從紙箱裡拿出來，燈一盞一盞亮起就似睡醒的鳥張開眼睛。站在這兒看著空地，怎樣慢慢填滿了攤子，燈怎樣架起來，像電影手法，時間已經在場景變換中過去了。

貼近馬路邊緣的小攤，燈不夠亮，賣的東西也不耀目，不知道他們缺乏了甚麼條件，擺不到夜市的中央去。但接近巴士站那一頭，卻有一個很吸引人的小攤子。兩個外省人賣鍋貼葱油薄餅。他們一胖一瘦，頭髮都白了，用毛巾紮在額髮之間。胖的高大的像金剛，雙手漲紅，那麼不費勁就掀動鍋裡的鍋貼、薄餅，簡直不把鍋裡的熱油當成一回事。老緊閉著嘴，緊得使嘴角向下拉，唇中央的小肉強調的突出來，一副頑固樣子。他很忙，管下鍋管切管賣。由於他那麼全神去煎薄餅切薄餅，對於「賣」便不大放在心上。顧客要買，得扔下錢，自己去拿，很自助式。瘦子只管低頭搓粉做餅，偶爾抬頭，臉上皺紋的多和深，給人強烈感覺——滄桑的雕刻成果。這夥伴倆很沉默，彼此不交談，也不像別的賣者高聲招徠。他們完全投入，像精心創作一宗藝術品般去弄鍋貼薄餅，使得旁邊的觀眾和顧客，都顯得很肅穆，不會像普通逛夜攤看熱鬧的輕佻。

夜深了，新填地街愈來愈熱鬧，他倆的生意也愈旺，而沉默，在喧囂的夜市裡，卻成了一種誇張的特色。

——刊一九七六年四月十八日《星島日報》副刊「七好文集」專欄。

堅固穩定的弓

孩子

你的孩子並不屬於你，
他們是生命熱切表現的結晶，
通過你到世間來卻並不源於你，
和你在一起卻不屬於你。
你能給他們的是愛，但不是思想，
因為他們有自己的。
你能為他們身體，但不能為他們的靈魂準備居所，
因為他們的靈魂住在明日之宮裡——
是你不能到的境地，即使在夢裡。
你或許可以竭力去像他們，

但不要祈求他們像你，
因為生命永不倒退，更不會流連。
你是發射孩子活箭的弓，
弓箭手只看永恒前路的靶，
他用盡全力把你拉曲，
好讓箭去得又快又遠。
你愉快地在弓箭手的手裡屈曲著身體，
他愛那直往前衝的箭，
也愛那堅固穩定的弓。

這是 Kahl'l Gibran 的詩，同事鮑慧鶯說是一首淒涼的詩，跟中國傳統的親子觀念太不同了，就細心的譯給我看。

遠啊！孩子住的是明日之宮！當然，父母沒法子冀求子女回到自己的模式裡。想著，也許十分淒涼。但再想著，那是一種偉大的犧牲，委屈了自己，讓箭去得更快更遠，只有父母才肯承受這種委屈。父母站得堅穩地，看住本屬於自己的孩子，再不屬於自己，遠去了，那該是壯烈使命的完成。其中，母親要忍受更多苦楚。誰比母親更清楚孩子生命的孕育過程？誰比母親更能承受孩子面世時帶來的劇痛？但到頭來，她仍作了讓箭去得更快更遠的弓！孩子們！在未遠去之前，請敬愛那穩定的弓！

——刊一九七六年五月七日《星島日報》副刊「七好文集」專欄。

一九七六年

星空

不知道自己是不是真的愛看星空！

唸中學的時候，晚上天朗，功課不忙，便會跑到空地上看星，但只是呆看，從不會找本星圖看看，也沒碰上懂星的人指導方向。糊裡糊塗的是記熟幾顆大星的位置，卻從說不出甚麼名堂。

再過些日子，認識了一個略懂得星也愛看星的人，星空，對於我來說，頓然變得燦爛多姿了。至今，仍默默記取那些晚上：第一次指點著幾個冬季南天星座的喜悅。冷得聽到自己牙齒格格作響，還堅持站在郊野看星移的滋味。海上不眠之夜，發現星空原來可以垂得那麼低的驚訝。可是，就只限於這樣了，一點點星空的知識，濃濃的情懷。當作伴看星的人遠去，也難數有多少日子，沒再看見星空了。——雖然，一直以為自己仍熱愛著星空。

最近，聽了些天文講座，和香港業餘天文學會主辦的「天文叢談」，才清楚自己是愛得那麼淺。那群業餘天文學者細細地敘述著星的故事，每一顆星、銀河、星雲、太陽……都不再遙遠，就像說著一個老朋友似的，要把他介紹給許多人認識，也盼望人家都能跟他訂下情誼。他們愛得那樣深切，真叫人感動。看著聽著，禁不住重拾已漸淡去的興致。

碧天如水，仰觀星空，八十八個星座，千萬顆星星，太空之外，還有無盡的天庭，人們知道得多少？一閃星光，原來，已是幾十幾百光年前的經歷，這不是令人惘然麼？當發現地球是那麼細小，注定在一個軌道上奔了又奔，已經夠驚訝，再看跟它息息相連，或很久才會一次面的許許多多星，便會有著一種反照自身的意味，這種特別感覺，只有觀星的時候才出現。

未來的某些朗夜裡，我將會像很久以前一般，抬起頭來，重認熟悉的，不熟悉的星，體味一下自己是不是真的愛星空。

——刊一九七六年十月二十五日《星島日報》副刊「七好文集」專欄。

❖ **證**

一九七六年三月二十一日《華僑日報》頁九：〈香港業餘天文學會 辦連串天文學講座〉，內文報道：「香港業餘天文學會為加強各界人仕對天文學之認識，將於本年四月開始舉辦一連串之天文學講座。其中第一、二講已安排在四月份舉行，詳情如下：(一)『宇宙漫遊——天文學簡介』主講：本會副會長楊志雄。(二)『天文攝影』主講：香港天文界前輩，市政局太空館顧問廖慶齊。」

一九七六年

聽南音

沒有辦法不相信：一個舊時代真的逝去了。

室內燈光並不暗，兩盞自天花板斜射下來的射燈，光線像個囚籠擒住那擺著桌子和兩張椅子的地方。聽眾悄悄進來，看看有那麼多空座位，反會躊躇一下子，才找到適意的位置。幾個互相認識的外國人，偶爾閒聊的語音，使室內盪著一股空洞、寂寞的感覺。節目開始的時刻過了，演唱人還沒有來，有人翻動節目表的聲音大了點，有人稍稍改變坐的姿勢，有人看看手錶。敏銳的主持人站起來，像對熟悉的人說話般尋常語調：「請各位忍耐一下，你知道啦！他們在九龍……會遲些……。」誰都沒埋怨甚麼，室內仍靜靜的。

當穿深灰色唐裝衫的杜煥瞽師和穿淺灰色恤衫的李敬凡師傅，在別人扶著坐下來後，人們會發覺他倆的默契和合作，簡直像兩個有視力的人——雖然，他倆依然有著盲人的特徵，微微側頭傾聽每一絲音響。老瞽師調著古箏弦線，一邊用近乎扁平的聲音開腔說：「失禮哂，今晚我唱的第一首南音叫『何惠群』歎五更，……當年伊秋水在『大破謀人寺』電影裡唱的，就是我代唱……」然後，清亮箏聲拍板聲，幾乎是嗚咽的二胡聲響了，瞽師腔調的柔婉，繞繚著，正展示一個可憐妓女的癡心故事。

聽眾有點擔心，六十多歲的人夠不夠氣力唱那闋「霸王別姬」？老瞽師說他要分上下兩段唱。又有點咳嗽。霸王一出，氣勢已不同凡響，一篇項羽本紀，彷彿繪形繪聲呈在眼前。還有那瘦削的老瞽師，大概運了氣，雙眉深鎖，成了面部顏色最深的部分，高聳的眉骨在泛紅顏面上顯得蒼白，也許燈光照射的關係，前額亮著一種異樣光彩。他的功夫使出來了，叫聽眾摒著氣。但我知道，他有些吃力，真的老了，因為十多年前，我已是他的聽眾。

演唱完了，看住這碩果僅存的南音老藝人，聽他跟我們談起的淡淡幾句牢騷話，看他收拾殘舊樂器離座，我明白，舊的時代真的過去了。

——刊一九七六年十一月二十二日《星島日報》副刊「七好文集」專欄。

參

❖ 小思：當年媽媽喜歡聽南音。香港用天線短波便能夠接收廣州電台的廣播，所以我童年也是聽廣州電台瞽師瞽娘唱的南音。杜煥以前的一輩，像潤心師娘，這些人在一九四九年來到香港。每天十二點左右，恰巧是我放學回家吃午餐的時候，香港電台就播南音，像《背解紅羅》，就是這樣整套聽回來了。……他（杜煥）早期在香港生活很苦，直至一位德國文化人布海歌女士因為很喜歡他的庶民唱技，由德國文化協會主辦，聘請他到「歌德學院」演唱，日子才過得好一點。

——《曲水回眸——小思訪談錄．上》，香港：啟思出版社，二〇一八年第二版，頁十一。

❖ 六月二十六日晚上，德國文化中心請了杜煥瞽師演唱，這機會正好，朋友便帶著錄音機去了。可是，她並沒有錄上杜煥的聲音。「杜煥六月十七日死了！」一個代替他出場的盲歌者簡單說了這句話。……假如，不是剛巧德國文化中心約了他，這永遠缺席的消息，誰會為他傳遞？」

——小思〈杜煥不在〉，見一九七九年七月三日《星島日報》副刊「七好」專欄。

證

❖ 一九七六年十一月十四日《華僑日報》頁六：〈藝術中心主辦　杜煥演唱南音　十七晚在歌德學院免費入場不容錯過〉，內文報道：「南音瞽師杜煥，為本港碩果僅存的專業南音歌唱者，生於廣東高要縣，現年六十六歲。十三歲起，隨名師學習南音，擅唱正宗腔。十八歲來港定居。……十七晚當唱兩首名曲：『何為貧』及『霸王別姬』。」（按：「何為貧」應為「何惠群」之誤。）

華僑文化

藝術中心主辦
杜煥演唱南音
十七晚在歌德學院
免費入場不容錯過

書街

真的，假如真有一條「書街」多好！

長輩文章裡的北京琉璃廠，彷彿縷縷惹人柳絮，在腦海裡飄飄蕩蕩，分明在眼前，可是要抓一把在掌中，卻又落空了。一廂情願，把段段文字紀錄，堆疊成一個琉璃廠的形相，是那麼遙遠，又這麼真切！這種近夢醒邊緣的感覺，常常在想到舊書攤的時候，便會出現。

正為了這原因，累得我站在東京神田區神保町街頭，呆了好一陣。在日本，碰上愛書的人，總會叮囑我說：「千萬要到神田區走一趟！」跟著便是熱切細緻描述它是如何布滿書的一個區。於是，我又有著那近夢醒邊緣的感覺，待得自己站在這街的一端時，寬敞馬路上，車輛的繁忙，建築物的現代化，結實地給我「要醒來」的呼喚，呆了好一陣，便完全清醒過來了——那不是琉璃廠！

醒過來也好，我可以用外國遊客的心情，客觀、冷靜地看一條日本書街——有純賣文藝雜誌的，整舖子上下裡外，堆滿幾十年前到最近的某幾種雜誌，除了「壯觀」，沒有別的形容詞。有純賣美術資料的、純賣歷史書的、純賣哲學書的、純賣佛學書的、純賣某種科技書的，當然有許多純賣文學作品的，單是三島由紀夫作品，就獨佔了一間書店。不過，逛這條街，其實也並不能讓我完全用遊客心情，偶然一家古本店裡的一角，會全是中文書，就叫人很觸動。細細翻動撫摸每一本陌生的，熟悉的書本，想到每本都可能有段滄桑故事，便不禁動了感情。雖然自己已買到了幾本心愛的書，包括清末木刻浙江民俗畫、民初廣東話小說、蒲風一九三五年在日本出版的詩集「六月流火」，但依舊用近乎貪婪的心情去翻去尋檢，盼望在經濟能力容許下，多買一兩本，甚至像一個朋友，買到一本有老舍親自題贈給日本友人的劇本。

那就是一條日本書街。在香港，當我經過招待所、投注站、肉食店的門外，再進入某些書店時，就禁不住想：有條書街多好！

——刊一九七六年十二月十八日《星島日報》副刊「七好文集」專欄。

一九七七年

不能不吐的苦水

◇任嘉諾撒培德書院教師

跟學生課餘閒聊，如果有人提起未來的志願就是當教師，我一定會親切地吐一點苦水。這種說話，從前我絕不會說，近幾年，卻不能不說。

做學生的總以為教師生涯最好過，既不必啃書應付考試，又不怕欠功課、留級、捱罵。只見得輕鬆一面，便萬分羨慕，是人之常情，自己也當過學生，這種心情是可以理解的。幾年前，當學生說將來要當教師，總禁不住多說幾句鼓勵話，告訴他們一些別的職業沒有的快樂，好吸引多些有志者，結伴向著教育邁進。近幾年，間接直接看見許多事例，叫我不禁打從心底裡又驚又冷，就覺得一向的想法和做法，有了改改的必要。甚麼事例？例如碰到不少剛投身教育工作的年輕人，不但缺乏青年應有的一把衝天幹勁，懶洋洋地一派「化境」模樣；更甚的是「練精學懶」不負責任，閒來嘴邊只談狗馬麻雀，如此教師生涯，的確好過，但，這絕不是真正教師該過的生活啊！例如問問一些學生，為甚麼想當教師？他們竟坦白告訴我說：「那是最理想的職業，薪金多，工作嘛，又容易，又多假期。」老天！

這就是他們要當教師的主要原因了。

千多塊錢開始的月薪，九十天的假期，在高唱「歎多喲世界」的功利社會裡，的確吸引不少沒有正確人生理想的青年，但當他們一旦發現，這些惹人的優厚待遇背後，還有很實際的一周三十多節課要上，如山的習作本要改，別人雖然沒有九十天假期，可是每天下午五點鐘過後，便樂得清閒，自己卻還得沒法計時的備課改卷到深夜，……一切出乎意料的吃力，心理沒好好準備，自然捱不過這些「苦楚」，人一虛弱，只好倒栽到「化境」去，於是又增加一批誤人子弟的生力軍。

為了好讓學生有個心理準備，只好給他們擺出事實來，細訴教師每天負的責任多重，身心精力該付出多少，九十天假期是要每晚努力工作積下來的，一句不負責的話會有多少人受害……這就是從前一向不會說的苦水。說出來，不是討人憐憫，為的是想他們知道：教育工作，是一條漫長而須努力的道路！

——刊一九七七年一月一日《新教育》8期「速寫與隨筆」專欄。

❖ 參

先讓我在此算算令中文科教師「死」的帳。每個中文科教師要負責三班到四班的中文課（這裡不談四班以上的不合人道情況），每周平均上課三十到五十節。算每班隔周作文一次，以四十人一班計算，要改的作文卷就不少。此外，周記、改寫、譯作、撮要、默書、書法練習，不定期或定期的測驗卷，……但這不是他全部的工作量，我們不必說那些免不了要擔當的班主任，課外活動等工作了，……教師不是不想「活」，但也會「死」的。是誰令他們「死」，就值得想想了。

——小思〈教師是會「死」的〉，見一九八一年五月二日《星島日報》副刊「七好文集」專欄。

一九七七年

誰教我們為現在而活

近年來，我有一件事情總想不通，也正因此犯了很大的錯誤。

每當跟同學們談起他們的未來、理想時，我便發現年輕人愈來愈不敢為自己的未來好好打算，又總認為「理想」只是一個令人痛苦、失落的代名詞，甚至有些現實得以為「理想」只不過是天真的人才會存有的「幻想」罷了。談到讀書目的，那就更不必提了，通常得到的答案是「不知道為甚麼」、「家長要我們唸書」、「為了未來找工作，解決生活」。遇到一些老練世故得遠遠超過年齡的學生，帶了一臉無可奈何神情說：「有甚麼打算？一切等會考放榜才說罷！理想？今天不知明天會是甚麼日子，理想愈高，跌得愈慘！」我就會十分生氣，責怪他們為甚麼這樣短視、沒有志氣，甘願當「為現在而活著」的人。這些生氣、責怪，正標誌著我的錯誤。

不是個別學生這樣子對待自己的未來，而是大部分都如此沒信心掌握自己的命運，總像有一股力量擺佈著他們似的，那就不簡單，不容忽視了，也就值得我們仔細檢討了。漸漸，許多事例叫我明白，責怪學生是把事情孤立了來看，把責任轉嫁在無辜者身上的一個嚴重錯誤。

首先，我們看看目前教育制度叫教師對學生傳授些甚麼？許多科目的課程範圍都是跟生活脫節，更談不上放眼未來了。教學目的十分機械性，有哪一項是跟學生討論未來，或授予判斷是非能力的？杜威說：「假使個人接受教育只是在獲取有關地理和歷史的描述和記載，以及培養閱讀和寫作能力，因而喪失了他自己的靈魂，喪失了對值得的事物的鑑賞力以及判斷價值相對性的能力，且喪失運用他所學的要求，尤其喪失從未來將要發生的經驗裡摘取意義的能力，那麼這個教育過程又有甚麼作用呢？」很不幸，現在面臨的，就是這樣的教育過程。我們沒有為學生準備一套健全的、為未來而設的課程，反指摘學生心中沒有未來理想，這未免不公平。再看看考試的制度，無論內容與方式，都逼使教師與學生，在毫無選擇情形下，用刻板的授受形式完成一些為考試而做的「工作」，「考試」變成一個重大使命，而許多社會情勢，也做成重視考試成績過於其他條件的心態。再加上香港教育當局變化不定的制度和措施：一下子小學五年制，甚麼特別中一、中二，忽然又搞個半湯半水的實用中學，一陣又取消升中試，加個智力測驗，不久卻來個初中會考，使唸完初中三的學生必須為升學緊張狼狽一番。那算你有天大理想，還會耐不住這種變化的煎熬。漸漸，事實教導年輕人學懂了「只顧目前」——如果深切的探討一下，這正好是教育制度設計者想要得到的效果。它進行得那麼微妙，使我們不自覺地接受了擺佈，然後，再回過頭來責怪年輕人不長進、社會風氣不好。想想不禁令人心寒！

如果以上說的，確實是做成年輕人沒有理想、目的的主要原因，我們便要採取正確的對付態度。我並不希望以這些原因作為原諒自己沒有好好培養學生理想的藉口，更不希望同學因此而振振有詞推說沒有理想與己無干。當我們知道事情並不是突然出現，不是孤立，就得提高警覺。當然最渴望能合力把這些問題徹底解決了，但在問題和環境一時還沒有改好的情況下，我們也應該努力開展自己的視野，建立自己的正確價值觀念，不要自甘扮演退縮、逃避的角色，因為我們不是為了自己、為了現在而活著。

在黑暗而漫長道路上，我們更需要自覺和反省，誰教我們為現在而活？只有把個人和實利主義放下，才可以看得更遠，和洞悉自己生存的意義。教育制度不讓我們擁有這些權利，我們就必須爭取！未來，該掌握在自己手中！

——刊一九七七年一月二十五日《青年良友》9期。

參

❖ 不久，升中試取消了，隨之而來的是中三甄選。我們沒有額手稱慶，卻只更憂心忡忡。經驗告訴我們，面對中三的甄選，學生會怎樣度過那段原屬黃金時間的日子。他們不再是小孩子，懂得過不了這關的後果，會帶來多嚴重的影響。這樣，壓力和痛苦會比升中試帶來的更厲害，而升中試的毛病，卻改形換貌移到人一生的黃金時間中，繼續「工作」！好了，甄選過後，有百分之四十學生，經得起考驗，繼續完成最後兩年中學階段。三年苦讀下的「黃金」，有沒有磨損蒙污，暫且不提，畢竟他們是過關的幸運兒。還有未過關的百分之六十學生，怎辦？可能「黃金」典盡，「中學」唸完，年齡不足。社會怎樣公平對待他們？如果有人認為上述問題是杞人之憂，或對未發生的事過於武斷，或「實屬言之過早」等。那就讓我說句老話：「因果報應不爽！」社會怎樣對待他們，他們定會怎樣回報社會！

——小思〈「黃金」典盡〉，見一九七七年三月十五日《星島日報》副刊「七好文集」專欄。

證

❖ 一九七六年七月五日《工商晚報》頁一：〈取消升中試報告書　附小中學直升問題　陶建作出三項更改〉，內文報道：「在一月發表的取消升中試研究報告書中，最主要的更改是提議增加一項校外考試的評定各小學在校內試評績的五個等級中所佔的比例。校外試將包括兩項測驗，分別為文字與數字的推理與運用。」

❖ 實用中學，三年畢業，是為一些學業稍遜的學生而設，減少了艱深的課程，另加入金工、木工、簿記等較實用科目，作為踏入社會工作前的訓練。後來由於社會需要，改為職業先修學校，修讀五年。」

——陳凱雯《校長爺爺：「拚」出教育路》，香港：中華書局（香港）有限公司，二〇一六年。

一九七七年

一肩擔盡古今愁

豐子愷有一幅畫：遠處半輪冉冉下沉的太陽，倚在山樹之間。一行曲折足跡，近景是個弓背老者，擔負著有傘有帽，重甸甸的行囊。

一肩擔盡古今愁！是這畫的題目。

人世間，有人肯一肩擔盡——擔盡古今愁！是何等的氣概，又是何等的悲壯！但又該是多麼無奈！因為無論不自覺還是毅然挑起這一擔子，必須有齊天的氣概。這一擔子一旦承受了，有生之日又難以卸下，怎不悲壯？亘古以來，為了人類的智慧、愚笨，愁便似噴發的火山溶岩，層層堆疊，凝住冷卻沉重。擔盡？行嗎？明明白白知道擔不盡仍無反悔的擔起來，我們應體察那種無奈。

也許，在功利尺度下，這是傻瓜才會幹的事，但畢竟，就有人幹。也許，最初，擔子裡裝的並不那麼多，可是，卻在日後，一點點加重了，當挑者驀然回首，原來是一擔子古今愁。那時候，已經不容仔肩暫卸，只為人人倚望著，自己也深感擔子和生命連成一體，放下來又不知道誰能承受，就必須，如斯啊！默默地肩負下去，直到一天，步履停在一個遙遠而寂寞的盡頭，在人們紛紛用自己以為得體、了解的議論中，放下擔子（有時，擔子的影子還會覆蓋在身上），向遙遙的路告別，讓重沉的身體，化成灰、成塵。

如今，世界的步伐太急促，快得有點混沌，再沒有一個站得穩，挑得動的人物。人慨歎：「英雄的時代消逝了！」我們並不希罕英雄，但卻深深憂慮，傻瓜的時代也隨著逝去。英雄人物，有時會各誤蒼生五百年，只有傻瓜，擔了古今愁，實實在在走過幾步路。

我不寫英雄的讚歌，但請接受發自心底的敬禮：那沉默負擔的遠行者！

（作者在剪報旁加按：為紀念周恩來總理而寫）

——刊一九七七年一月二十五日《星島日報》副刊「七好文集」專欄。

❖ **證**

一九七六年一月九日《大公報》頁一：〈中共中央、人大常委會、國務院極其沉痛宣告　周恩來總理昨晨在北京逝世　毛澤東主席等一零七人組成治喪委員會〉

一九七七年

波叔與緣分

波叔並不是這個樣子的。對只在電視節目中看過他的人，我總禁不住認真的說這句話。做來做去只有幾個並不惹笑的表情，說起正經話來就連舌頭也打結，有時更笨手笨腳……聽到不少人數落波叔在電視演出的不是，便不由不相信「如魚得水」這道理。

我們不要把「緣分」說得太抽象、太神妙。人與人、人與地、人與事，往往因許多因素條件配合得恰到好處，便發揮最大的效果，閃耀著生命的光輝。彼此依存，沒有任何別的東西可以取代，不離不棄，那是「緣分」。像波叔，他該與舞台有緣。我常覺得，電視台的攝影機械，給波叔一種無形的克制壓力，就算不是把他壓得有點怕或失去自信心，也會像塊無形帳幔罩住他的光芒。轉眼間，在舞台上，他便打開枷鎖，哪怕是一個最不經意的動作，儘管我們並不贊成的那些插科打諢，都標誌著他的才華和自信。藝術生命，植根在紅氈、台板上，開花結果在那兒，是自然而必會出現的後果。但，氣候、水分、養料足以影響花果艷碩——所以，波叔也和一個認真的劇團，一個有才華而卻早逝的編劇家有緣。

如果只看波叔在舞台上演出，便給他下定論，還不夠正確。有時，他會很不自愛、自制的誤用自己的優點，真叫愛護他的人擔心，怕這足以毀卻藝術成就的光輝。當然，看過他演唐滌生編的「紫釵記」、「再世紅梅記」，再給他評價，那就差不多了。且不提「再」劇裡的賈似道，單是「紫釵記」裡的老秀才與黃衫客，先後強烈對比，他能掌握得那麼恰當，真教人驚歎。

我不懂得評論粵劇藝術，但精良的粵劇很能觸動我的感情。由於看電視的人多，生怕遠離「緣分」的波叔，給太多人留下錯誤印象，這對他未免不公平，才切切地在人前為他說話。

——刊一九七七年三月二十四日《星島日報》副刊「七好文集」專欄。

緊握這件武器

在某些朋友或學生眼中，我該是個相當固執的人。例如：堅持說「再見」，不說「拜拜」。在課室裡，不許學生用英語叫「早安」和稱呼我。我並不是惡意地拒斥英語。而是，作為中文科教師，這是最起碼的應有表態行動。

也許，有人會以為這種表面化行為沒有意義，甚至顯得幼稚，但事實告訴我，三年來的堅持，畢竟有了一點點效果。

在香港特殊社會環境下，英語入侵學生的語言範圍，是無可避免的事。當然，人們說著「拜拜」，並不就代表心裡正存輕視中文的意念，可是，日子久了，便不自覺的，對中文有了一種疏離感。這種潛藏的疏離，很微妙，難找到甚麼具體例證，證實它的存在和壓力，但只要留心一點，就不難感受得到。一般年輕人，其實，對自己的母語，也不會產生有意的憎厭，只是許多客觀因素，令他們疏離了也不知道。當中文教師的人，想學生把中文學好，首先要務，是消解「疏離」，培養學生對中文的感情。

雖然，這要務並不是三言兩語可以達到，其中包括了教師本身對中文的尊崇、教學方法的靈活運用等等，但教師的一些基本表態行動，會給學生一個明確印象——儘管，可能有些學生在最初時不習慣，甚至不同意，畢竟仍會獲得「原來有人如此堅持說中文」的印象。慢慢，在上課傳授知識，平常接觸閒談中，學生自然會在教師言行裡，接受了由教師傳遞過來的感情——其中包括對中文的尊敬。有了敬意，感情一天比一天加厚，便會自動希望學好中文。只要「好」，年輕人一把勁，誰也壓不住，那時候，學好中文，絕不是為了考試。

三年來，我不能說學生都已學好中文，但他們對中文有了親切感，卻的確察覺得到。

在眾多外來壓力下，香港學生中文程度低落聲中，在社會環境一下子還未能徹底改好前，站在保衛中文前線的中文老師，我想，自身對中文的敬意和信念，是一項最重要的武器！

——刊一九七七年五月一日《新教育》10期。

一九七七年

「憑不厭乎求索」的……

有時候，我會感到很寂寞！別誤會，不是十七歲，或者七十歲的那種寂寞，而是——站在課室裡，講文學作品時，感到的一股冷寂。

不過是幾年前的事罷了！只要在課室裡，說到文學，哪怕是一首詩、一闋詞，待講得沉醉當兒，一瞥間，總接到從不同座位上發出來的共鳴訊息，是閃閃眼神的光輝，毫無保留地投射過來，師生便一起融和在詩詞境界裡。記得清楚：那有艷陽的早晨，一陣風來，吹得木棉絮漫天飄飛，師生都呆住了，凝睇著那從未見過的奇景。然後，當目光由窗外轉回來，幾乎同時，大家脫口說：「未若柳絮因風起」。也記取：講李後主詞，我不逐字逐句解說，就整闋詞化成李後主內心獨白，說罷了，學生站起來分析作品，是多麼的透切。當然，不會忘掉，師生合力搞完全沒有競爭成分的朗誦會，碧彰唸揚州慢最神似，少萍唱李後主詞最有韻味，燕玲唱昭君出塞最感人。溫暖來自學生一個眼神、一句笑語裡，真不會冷寂。還有，學生看課外書多，一本本讀書報告，寫來不為了交功課，而是要跟我討論，甚至爭論某作品的好壞。課堂上，說起來，更會七嘴八舌，成熟的、稚嫩的，有甚麼關係呢？他們看過，他們敢說。真不會冷寂。

日子飛快過去，那滿是電波的魔術箱——電視機，近乎強橫地入侵了我們的生活。據說，我們已經進入「電視的一代」了。人們不再從抽象的文字，吸取知識；不必運用想像，實際景象和粗疏語言，可以交代一切；甚至，人們不再從父母、朋友的接觸中，學習感情交流，人際相處。一天幾小時，好好歹歹對著個十來二十吋的電波箱子，不知不覺吸收另一種「營養」，慢慢變成「電視人」——冷媒介催生出來的人類。我常常希望這不是真的，杜魯福「烈火」的預言不要應驗。雖然，杜魯福安慰我們，燒書禁書之後，還有許多死心不息的「書人」，但想想，當人們都不再看文學作品的時候，「書人」是多麼寂寞！

我想，電視有它的好處，但它並不等於一切，有些東西，例如人的交往，較高層次的精神領域拓展、思維方法的訓練、文學韻致的聯想……恐怕都不能光坐在電視機前得到。看書，也不等於一切，但卻是與「人」，心接心的交往方法。那些人，可能是兩千年前，滿懷悲苦的屈原，可能是今天，在天涯一角的留學生，我們都可以通過文字，認識、了解他們。文學作品會有些意想不到的溝通作用。

現在，沒有人燒書禁書，但為甚麼，提起文學時，我竟在課室中，如斯的寂寞？年輕人的感情該最易觸動，為甚麼在文學領域裡，他們會這樣退卻？

最近，課堂上，隱約地我又再看到那閃閃的眼神光輝了。盼望它們會愈來愈顯明，那是我三年來，不厭求索的閃閃光輝。

——刊一九七七年五月十五日《大拇指半月刊》61期第四版，作者署名小思。

❖ 證

她希望能從自身對文學的熱愛出發，感染學生，使他們自己主動去接近文學作品，並從中上接時空以外的人的心靈。有人批評她授課時太感性，但她並不希望上課單單是冷靜地提供資料，「這樣得不到人的溝通」她強調。然而，她畢竟感到寂寞，而且是愈來愈寂寞。

——周保松、司徒健恩、秦瑜〈是這樣的一種情懷：訪盧瑋鑾老師〉，見一九九二年三月《中大學生報》總139期。

一九七七年

藥味之外

醫院特有的濃濁藥味，迎面罩下來，一種特有的不快感覺就自心頭升起——自從母親逝世後，這種不快便定了型，跟嗅到花圈或花籃上半乾花朵發出那種氣味時的感覺，幾乎沒有分別。所以，無論進醫院去為了探望一個新誕生的生命，一個眼中露著慈愛光輝的新任母親，大病完全退卻的朋友，在喜氣盈盈中，要擺脫不快的纏繞，我仍感到十分吃力。何況，許多時候，探望的是一個快向生命作別的人？

看著病床上昏昏睡去的黃老師，本來瘦削的臉，似乎瘦得沒有再瘦的可能，呼吸微弱，卻忽然有幾下急劇的喘氣，雖然師母說今天的情況好了些，但相信誰都在暗暗地擔憂。到了服藥時間，師母師兄把藥從老師微張的嘴角細細灌下去，藥是順暢地流進喉裡，也弄醒了老師。他張開眼睛，我們每人都移近病床邊，呼喚著他。我第一次那麼清楚看見那雙幾乎失神的眼，慢慢移動——想那是昏迷中甦醒過來，唯一可以移動的器官，向著我們，逐個細看，是吃力，但仍用力地細看。他已經連掀動一下嘴唇的力量也沒有了，只是眼光中竟能露出一絲認知的亮光。突然，我很想趕快離開床邊，不是不想多看老師幾眼，或多喚他幾聲。而是，設想著：如果自己躺在那兒，認得一個個學生的樣貌，記得起他們的名字，聽得見他們的呼喚，卻沒法子回應，或者告訴他們我的感覺，那時候的心情會怎樣？也許，會很安慰；也許，會很淒酸。

畢竟，我沒有遽然離開，因為讓他知道：有許多學生站在病床前看他、為他擔憂，相信對他來說並不重要——老師並不會計較這些，但對我來說，多看老師幾眼，是很自私的理由，卻仍十分重要。

最後，黃老師疲倦地閉上眼睛，永遠的閉上了。

我抹乾淚，第二天，我站在課室裡，很用心的對我的學生講「太史公自序」。黃老師，放心吧！我會很用心講授您教給我的課。

——刊一九七七年六月五日《星島日報》副刊「七好文集」專欄。

❖ **證**

一九七六年五月二十八日《工商日報》頁六：〈教育界名宿　黃華表逝世〉，內文報道：「黃教授原籍廣西省藤縣人，早歲留學美國，……留學期間，奉國父命任少年中國日報主筆，鼓吹革命，貢獻良多。回國後，歷任中文大學新亞書院教授兼中國文學系主任……。」

「佛無靈」

許多人都知道豐子愷先生信佛，也吃素，於是許多人都知道豐先生對佛很虔誠。甚至有些人會覺得他老人家信佛信得有點迂腐，否則，怎會叫人戒殺生要連螞蟻也不要傷害？究竟虔誠到甚麼程度？是不是真的那麼迂？這總是愛護他的人想知道，也想為他的「迂」辯一下的問題。

很感謝朋友為我影印了刋在「抗戰文藝」裡的一篇隨筆，我想，這文章多少可以給我們一點頭緒。用豐先生自己的文字，反映他的思想，到底是最好不過的一回事。

文章題目叫「佛無靈」。這三個字，出自他七十多歲老姑母的口。由於眼見豐先生的房子——緣緣堂被日軍燒燬，只餘下煙囪，想到甥子平素那麼虔誠禮佛，到頭來，佛竟不好好保佑他，就禁不住慨嘆：「佛無靈」了。話傳到豐先生耳裡，便引起他許多感想。他說：「……我得交接不少所謂『信佛』的人，但是，十年來，這些人我早看厭了。有時我真懊悔自己吃素。我不屑與他們為伍。……因為這班人多數自私自利，醜態可掬。非但完全不解佛的廣大慈悲的精神，其我利自私之欲且比所謂不信佛的人深得多！他們念佛吃素，全為求私人的幸福，好比商人拿本錢去求利。……信佛為求人生幸福，我絕不反對。但是，只求自己一人一家的幸福而不顧他人，我瞧他不起。得了些小便宜就津津樂道，引為佛祐；受了些小損失就怨天尤人，嘆佛無靈。……他們念佛誦經，希望個個字變成金錢……這完全是同佛做買賣，靠佛圖利、吃佛飯。……想想我曾吃素，曾經作護生畫集。這是一筆大本錢，拿這筆大本錢同佛做買賣所獲的利，至少應該是別人的房子都燒了而我的房子毫無損失。……今我沒得到這些利益，只落得家破人亡……在他們看來，這筆生意大蝕其本，這個佛太不講公平交易，安得不罵無靈？……」最後，他強調佛畢竟有靈，因為教曉他不做亡國奴，認真活下去。

很少看見豐先生那麼動氣罵人，這文章也不易見，不禁多抄了幾句。

——刊一九七七年六月二十二日《星島日報》副刊「七好文集」專欄。

護心

愛看豐子愷先生漫畫的人，說來奇怪，都不大接受他的「護生畫集」。甚至有些人看後，會產生一個印象：哦！豐子愷原來是個信佛信得迂，婆婆媽媽連螞蟻也不忍踏死的老頭子。

其實，看「護生畫集」，絕不能執著畫面表現的意義，應從高一層次去體味作者的宗教情操。豐先生執持的宗教情操並不是高高在上，遠離人間的，所以，他雖然沒出家當和尚，但仍不愧為弘一法師的好弟子。

甚麼是不離人間的宗教情操？我想，它不該單屬於某種宗教的了。沒有宗教的人，同樣可以擁有這種平凡而高貴的特質。那就是一種親親仁民，仁民愛物的愛心。不必鑽進牛角尖裡去找；也不必天天愛呀愛的掛在嘴邊才算數，更不是晨昏燒香念佛的人的專利品。它存在對人對物的一念關注，和一些完全摒棄私利私慾的行動中。

看見一片葉子在枝頭健康地生長，便會滿心歡喜就是愛心。看到一隻小雞離了群，不會追逐戲弄牠是愛心。那當然了，不把玻璃瓶子由高樓上擲下是愛心。不為了自己的益利，逼使無辜又沒反抗能力的人做他們不勝負荷的事，是愛心。願意放棄自己的成見，完成為大家好的事，是愛心。還有千千萬萬種不必費一文錢，也可以做的事，都是愛心的表現。

這不費一文錢的心，可貴重得很，卻又極易掉去，所以豐先生認為，護生其實就是護心。人人都有心，人人也該有這種宗教情操，自然，宗教人士就更應護著這顆心，否則，評價怎樣，不必細說了。

在現代講求「我就是我」、「我有絕對自由做任何我愛做的事」、「你管不著我，你看不慣，沒人要你看；你看了又受不了，是活該」……一切自我為本位的社會裡，忽然說起愛心來，似乎是個惹人反感的懷舊笑話。但當我看到仍有無數人默默地護住一股宗教情操——護住心地活著，於是，我還是說了。

——刊一九七七年六月二十八日《星島日報》副刊「七好文集」專欄。

一九七七年

灣仔之一

黃昏已過時分，走經灣仔街頭。

修頓球場人聲起哄，一場小型球賽正鬥得熱烈。高架射燈使場邊人的面貌一點也不矇矓，他們完全投入一個急劇流動的場景中。我站在人圈外邊，忽然，這個地方，變得非常陌生。

那時候——該是很久很久以前了，當修頓球場還沒鋪上水泥地，四邊還沒圍上欄柵，一切顯得很沒建設、沒秩序。但，我可以清楚記得哪個角落，擺的是甚麼攤子。大帳篷在東北角架起來的是夜市心臟節目：「咚咚嗆」。我不知道它的正式名堂，父親總說：「我們看咚咚嗆去。」而大帳篷外邊，總有人敲著鑼鼓，單調聲響就是：咚咚嗆。響亮的呼叫，告訴人們帳內表演些甚麼。有時是深山大野人，有時是軟骨美人，有時是吞火吐火，甚至有時只擺著一隻兩頭雞，給一角錢，就可以進帳裡去看。通常，節目怎樣叫人失望，看過的人走出帳篷時，總笑哈哈的。父親說只是一角幾分，不要太認真，反正，不好嚇怕了站在外邊等進場的下一班觀眾。中央地區多散擺著賣武、賣藥、賣涼果的小檔，彼此之間，沒有劃定界線，外邊圍著一圈人就是界線。每圈子裡都有盞大光燈，其實也不算太光，暗黃的燈光剛好照亮了小檔主人。賣武的總光著上身，腰間束條已經有點霉氣的紅帶，或者只把黑色唐裝褲的白褲頭打成結實的方形結。他們總愛把胸膛拍響，說一套江湖老話，偶然舞動一下紅纓槍、單刀之類，對於這，我沒多大興趣。雖然賣涼果的沒大看頭，但看完後父親定會買一角錢有十二粒的話梅或甘草欖，就很夠吸引力。看小攤，其實也不太舒服。父親不許我蹲在人圈內圍地上看，只讓我騎在他肩上。七八歲也不太小了，看完一場雜耍，父女倆都會感到吃力。

但無論怎樣，儘管家與修頓只是一街之隔，能去玩一個晚上，已是童年最興奮的夜間節目之一了。

這個陌生的地方，原來曾盛載過我童年的歡樂。

——刊一九七七年七月五日《星島日報》副刊「七好文集」專欄。

灣仔之二

沿著軒尼詩道走，這條曾經十分熟悉的大街，這條夢裡屢屢出現的大街，如今，面貌都改變了。

抬起頭，大廈窗子，一格一格，離得我好遠。幾幢還沒拆掉的舊樓，夾在許多大廈中間雖然有點滄桑、坎坷，但只要細細看每層樓房的騎樓，那些窗子仍給人高大寬闊的印象。都市繁榮，有時必須犧牲許多舊有東西——無論好的壞的。不知道甚麼原因，它們還沒拆掉。

我走過兩個街口——自從老屋拆掉後，已經很久沒細看這街了，許多店舖中，我還認得幾家？只有一家賣帆布床的，一家專門縫製工人服裝的，一家賣火水汽油的，半家電器店。裡面坐著的再不是從前會逗我說兩句話的老闆、老闆娘。年輕、陌生的店員，閒閒坐著；偶爾，一兩個詫異地投我一眼，為的是我站在外邊看他們，又如此毫不相干。

轉入洛克道、渣菲道，一撒溪錢從高廈飄飛下來。舊建築拆掉又怎樣？依然沒拆掉那些古老、悲哀的行業。為了這行業，灣仔，這名字，在許多外國人心目中，會引起無數蠱惑聯想，也曾使住在灣仔的良家人等生氣。小時候，儘管常被醉得七顛八倒的外國水手嚇個半死，一旦碰上有人說「灣仔很雜」，總忙不迭為它辯護。十多年後，才明白那種辯護是徒然的，但人總該有過如許天真感情。

一帶霓虹燈比從前多彩，閃耀著的名堂也奇異，街上卻顯得冷落，除了某些店子門外幾個站站坐坐的「閒人」，路客多是匆匆。許是歡樂時光未到？還是這角落已漸趨凋零？別疑惑，這已經是幾乎完全陌生的灣仔了。

偶爾路過，大概那幾幢舊樓的原因，挑起一個老街坊的絲絲憶念。

懷舊，恐怕不只是生活得過於平淡的人，討點苦頭來折磨一下自己的玩意，而該是一種追溯本源的沉厚感情的重現。假如，把懷舊當成潮流，未免太污蔑它了。

——刊一九七七年七月十二日《星島日報》副刊「七好文集」專欄。

一九七七年

離

一場完全失去控制似的大驟雨剛過去。街道在太陽烘射下，半乾半濕泛起陣陣帶暖的水氣，使人皮膚膠黏黏，很不清爽。

天藍得很放肆，附近小山坡的草樹，經過雨水沖洗，陽光一曬，亮著精細瓷器光澤。天地間，忽然如此明淨。

回過頭來，凝睇一下那座巨大建築物，然後，讓公共汽車把我帶走。

朋友說：「真有點想不通，捨不得些甚麼？你原該離開得很瀟灑，揮袖而去才對！」

我沒有捨不得甚麼，但也並不瀟灑。從前，曾迷信著「揮一揮衣袖，不帶走一片雲彩」的灑脫，只是慢慢離別的經驗多了，才深切知道這不可靠。揮袖的確可以不帶走雲彩，卻不保證不拂動感情。

別離原已慣，打從母親去世，之後，跟著的是父親、朋友、老師的永別；再加上數不盡朋友、學生的各奔前程，教人學懂了這個人生擺脫不得的課題。最初，我有著無限的悲感，也有過無奈的沮喪，可是，事實告訴我，這不是好辦法。於是，學會了緊緊把握「當下」——目前的人、目前的事、目前的情、目前的物。

人生是永恆的奔波，每人在自己軌道上忙，我們不能苛求永久聚合，正因如此，就更該珍惜每分每秒的「當下」。三年來，我在那座巨大建築物裡，是認真的灑下了感情、心血、時間；珍惜每個與我交往的學生、朋友接觸時所樂所憂，正如從前在其他地方的態度一般。也許，我還做得不夠好，但畢竟用了力。如今，別了，思量中，我們遇過、樂過、憂過，就是幸福，那還有甚麼捨不得的呢？

明天，在另一個地方，另一群人中，有人又緊緊把握著每個「當下」，但仍會懷繫三年來的憂樂日子，這就是並不瀟灑的原因。

想通了，天地間仍是如此明淨！

回過頭來，那座巨大建築物，已在視線之外。

——刊一九七七年七月二十九日《星島日報》副刊「七好文集」專欄。

薪傳略記

「傳火於薪，前薪盡而火猶傳於後薪也。薪火相傳之無盡，人只見前薪之盡，不知火傳於後薪，永無盡時。」

讀著這段薪傳的文字，心裡很觸動。想想：一堆柴薪為了供給光和熱，毫不計較地拚命燃燒自己，漸漸為炭成灰。人在旁邊看，總嘆息說盡了盡了。那料得，火，已在燒燃中，由前薪傳到後一堆柴薪去，盡的只是軀體，火卻永無盡時——只要後繼有薪！

我很幸福，自小就遇上許多好老師。由小學到大學，他們像毫無痕跡的，一點一絲影響了我，點檢一下，要細細道來，也不是件容易的事。但，時間並沒使我記憶褪色。打從自己當起教師以來，面對著學生，老師們的面貌音容，反而一天比一天，在腦海裡浮現得更清晰。香港教育制度很易令人氣餒，有時候，學生的表現也叫人會一下子頹喪了，我也許會說些賭氣話。可是，只要靜下來，想想老師可能都曾遇到同樣的挫折，而他們竟仍默默地擔承下來，走著一條漫長的道路，氣便平息了，第二天，依舊欣然踏進課室去。

我很幸福，自教書以來，遇上許多好學生。說好，並不是指成績最好，乖乖聽話的那一種。當然，也有成績頂好的，但最重要的該是在感情交流中，我們彼此都承接了對方的影響。

我跟學生的深切認識，並不如想像中那麼順利。有時，我們會鬧意見，鬧得有點大家都不大好過，但我們會盡力找出毛病來，當意見消融後，認識便自然深了一層。

記得初踏教壇那一年，大概有些心怯，對著高大個子的男學生，總扳起鐵青臉。學生果然怕得不哼一聲，只是心裡並不服氣。終於，有人要說話了，他在周記裡狠狠的提了意見，認為我不該吝嗇笑容，要學生受苦。還清楚記得讀著周記一剎那的憤怒，甚至責怪學生為甚麼只斤斤計較表面的笑容，而不欣賞我傳授的知識。後來，想想自己的老師，也沒誰會扳起鐵青臉，憑甚麼我會這樣要學生無端受苦？就慢慢用力改過來。到如今，那個男學生已在遠方結婚生子，相信他並不知道當年一篇周記，對我有這樣巨大的影響。

師生間的溝通，許多時候，不會在課室裡找到適當機緣。通過周記、課餘閒聊，收效倒出奇的大。十年來，我讀過無數坦率的周記，嘗試了解、分擔學生的苦和樂。到今天，當聽到學生告訴我，他們的問題解決了、誰不再恨父親了、誰跟鬧彆扭的妹妹和好了、誰想通了一些人生困惑，或者說：「老師，我也要我的學生寫周記呢！很愛讀，也用心改他們的文字。」我便泛起一片難以描述的愉悅。說到課外閒聊，理想的當是一盞清茶，在藍天下草地上，師生對談。忘不了自己對中國近代史的認識，有多少得自書房窗下、惠和園小徑上跟左舜生老師的閒聊中。也忘不了學懂多少唐詩宋詞，是和莫可非老師在維園草地上的談天中。如今，社會環境不容許我帶著學生到處跑，但相信，還有許多學生跟我一樣，忘不了在教員休息室外邊，那兩張綠色籐椅上，我們談到黃昏才散的情況。

學生離開學校以後，各忙各的，有些更到了外國去，見面時候不多，只是偶然街上巧遇、一個電話、一封短簡，都充滿了殷殷情意。

當我看見老師坐在搖椅上，斜陽照著病弱身軀，晚風吹動了絲絲白髮，我清楚知道：明天，要更用心講授我的課、更關心我的學生，因為火正燃燒著我，這種使命，承擔了，便義無反悔。

——刊一九七七年九月《突破》35期。

證

❖ 在新亞書院畢業之後，她入讀師範，踏入社會第一份工作就是教師，晃眼已有三十五個寒暑，憶記初為人師，盧老師自言那是另一個面孔。「那些男學生牛高馬大，你都咪話唔驚！」周遭的氣氛加上恐懼，盧變成了「惡老師」。後來，一個學生的周記，改變了她的「惡相」。「他在周記問我：『憑甚麼帶著鐵青的臉，剝削了我們的快樂？』咳！當時我好嬲，靜下來，我還是在周記向他道謝。」從此，盧老師多了點笑容。

——穹旻〈小思薪火相傳的使命〉，一九九八年十月二十四日《星島日報》D9。

一九七七年

墨盒

學生在低頭默書，我輕輕走過，看她們的墨盒。

白鐵皮的、紅膠、綠膠、黑膠造的，都是小小圓盒子。有些裡面結結實實一團墨膠，只剩中央小塊有點潤濕，大概該是棉花罷，看學生用毛筆使勁按下去，才看得出它軟潤的本質。有些只剩薄薄棉花層，本來不大的盒子，還有許多空間，棉花像剛放進去，與盒子沒甚麼親密關連。有些居然間隔起來，三分之一放硬塊墨條，三分之二放滲了水的海綿，簡直水墨分離。當然，也有些棉軟墨潤，叫人看得很舒服，但畢竟這樣好的墨盒不多。

記憶裡，我有過一個好墨盒，從小學到中學，都用著它。丁方兩寸大的黃銅盒身，蓋子上刻著幅春山圖。每星期天，都用擦銅水把它擦得閃閃發亮。裡面飽滿了頂好絲棉，從不加現成瓶裝墨汁，一定用墨條墨硯磨出來的墨。雖然，磨墨有點費時，但自小，母親就要我磨墨，習慣了，總帶一種虔誠的心意做這工作。看著清水慢慢變成稠得一圈一圈的墨汁，心裡就有說不出的快慰。上好墨條磨出來的墨，不會臭，還帶特有的墨香，顏色也是烏黑帶點潤澤。字好不好，是另一回事，但仍愛著墨色潤澤的字。

每次，拿起很有「分量」，又是自己親自打點的銅墨盒，就有親切、莊重的感覺。

現在，正黃銅而又刻了圖畫的墨盒，已經變成標價很驚人的古玩式文房用具，學生等閒也不易擁有。

但不是黃銅，又有甚麼關係？塑膠墨盒也一樣可以打點得好，問題是我們怎樣對待自己的用具，和懂不懂認真做任何一件自己應做的事。

我想：躁急的人不容易好好運用毛筆，不能好好打點墨盒。其實，這點意義，不很顯露，卻十分重要。

我慨嘆的，不是學生沒有黃銅墨盒，而是沒有打點得好的墨盒。

——刊一九七七年十月二十二日《星島日報》副刊「七好文集」專欄。

一九七八年

再看「紅梅記」

◇深造香港大學中文系哲學碩士課程
◇任香港大學中文系助教

每次，雛鳳要演出，我都這樣想：演「再世紅梅記」罷！希望她們演這齣戲，總可以數出兩大理由。首先說最自私的理由：是我愛看。當年，看她們師傅演出，看得人如癡如醉，深深相信這是粵劇歷史的一個里程碑，也驚歎唐滌生的才華和仙鳳鳴的藝術造詣結合起來，發出如此燦爛的光輝。（也真相信有嘔心瀝血這回事，「再世紅梅記」委實完美，恐怕唐滌生是掏盡了心血，才會在它正式上演的那夜，猝然謝世。）多少年來，念念不忘、盼著再看的，想來大有人在。不過，事實告訴我們，要看恐怕也只能看薪傳的雛鳳了。於是，我們等待著。

第二個理由：是雛鳳必須對自己有信心。她們先後搬演了許多師傅演過的名劇，就單單沒有正式在香港演過「紅梅記」，可知道它的重要性麼？這是個大考試。兩位師傅在藝術最巔峰的時候演的戲，早已深入人心，徒兒們多一分少一分，觀眾都有話說，她們必須有承擔一切後果的勇氣。這齣戲實在太難演，尤其是李慧娘盧昭容的個性，「玉殞香消」一段，不夠堅決，便成了可憐小女人；「折梅巧遇」裡，稍一放縱，就變成鄉姑小丫頭；「鬧府裝瘋」中，偶然過火，便成真瘋鬧劇；「登壇鬼辯」，更易流於潑婦罵街。此外，唱造工架，往往要同時兼顧，這真是一場大考驗。裴禹一角，說易也不易，老師的書生氣質，可愛憨態，幾乎是與生俱來，要學，多一分便有流氣，少一分卻嫌呆笨。她們要演，必須有信心，闖過三關——自己的演技、觀眾的批評、老師的嚴格要求。

終於，她們要演「再世紅梅記」，這回倒輪到我們當觀眾的擔心了。我們必須對她們公平：千萬不能用「比較」的尺度去看。再看「紅梅記」得到的結論是：她們的信心該建立起來，因為三關雖然困難，但總算闖過了，過分緊張，反會失去揮灑自如。梅雪詩的進步，大概該感謝嚴師的督促。現在，她們要等待的，就是一點緣分——像仙鳳鳴遇上唐滌生的那點緣分，才再有突破的機會。

——刊一九七八年一月四日《星島日報》副刊「七好文集」專欄。

參

❖ 從沒想過會在外國看粵劇，可是，到了溫哥華，在唐人街頭看見七彩海報，一時「好奇心」大作，就決定用三十二塊錢港幣買票進場了。……台上的人認真地演，倒也難為了他們，像「紅了櫻桃碎了心」這種劇本，再認真再努力唱造，也難賦給它生命。華僑雖然「餓戲」很久，仍懂選擇，這大概就是不滿座的原因。……中場有十五分鐘休息時間，朱師傅跑來說：「到後台去看看，給她們一次意料之外。」……散場後，看見兩個外國人拿著場刊在翻，想是在找些甚麼中國傳統戲劇的有關資料吧！唉！不翻也罷，從那廣告多於一切的印刷品裡，能找到些甚麼？

——小思〈「睇大戲」的外一章上、下〉，見一九七八年九月八及九日《星島日報》「七好文集」專欄。

證

❖ 一九七七年十二月四日《華僑日報》頁八：〈雛鳳後天初演 再世紅梅記 前晚利舞台響排到昨日清晨〉，內文報道：「雛鳳鳴劇團本月六日初演師父戲寶『再世紅梅記』，前晚深夜在利舞台戲院徹夜響排，除了全體台柱深宵排練外，雛鳳的恩師，任劍輝，白雪仙，以至師伯靚次伯，梁醒波均親自在場督師，每一個情節都由白雪仙示範，每一動作，唱詞，都在旁耳提面命，絕不馬虎。」

華僑日報 WAH KIU YAT PO 星期日 ……七七年十二月四日 夏曆丁巳

娛樂

雛鳳後天初演

再世紅梅記

前晚利舞台響排到昨日清晨

雛鳳初演紅梅瑣記

·三 杪·

告吾師在天之靈

老師：當臂纏黑紗，站在靈堂之前的時候，並不是我最悲痛的時候。在往後的日子裡，我是痛定思痛，悲定思悲。您當恕我，這種完全為自己的損失而悲的自私。

自從在「人生之體驗」一書，認識了您以後，我逐漸清楚看到一條應走的大路，多少年來，堅守著其中一些原則，衝破了許多困難，也確定了基本的人生態度。這些話，我從沒有向您提過，因為，我想，您早就知道了。但有一句話，近幾年來，一直困在心裡，不敢問您。

老師，從您身上，我學習了堅持原則，待人以愛以恕，熱愛中國文化。但日漸成長，才知道，在香港這個特殊的社會氣候中，要實踐起來，原是萬分艱辛。人家是是非不分，跟風順勢，您卻堅持原則，在人眼中，便變成個不識時務的大傻瓜！人家只講霸道只愛自己，您卻談仁道恕，便成了迂腐的儒生。愛中國文化？那也只是個遙遠聲音。面對逆流，那股力，有時會使人對自己正堅持的原則也懷疑起來。我軟弱了，於是，多少次懷疑您是不是真的那麼堅強，想問您：「老師：您軟弱過麼？」

每次，我軟弱的時候，就去看望您，想問您這句話，但，奇怪的卻是：從您的談話中，我會恢復信心，忘了要問的話。兩三年來，一件件事實，更顯示了您的堅強，人說您固執，固執沒有甚麼不好，只要擇善。人說您糊塗，糊塗的定義怎樣下？在這人人自命理智的昏暗日子裡。牟宗三老師說您心受傷而死！也許，受傷是事實，死也是事實，但這並不等於軟弱！

您說過：「親愛的人死亡，是你永不能補償的悲痛，這沒有哲學能安慰你，也不必要哲學來安慰你，因為這是你應有的悲痛。……這時是你道德的自我開始真正呈露的時候。你將從此更對於尚生存的親愛的人，表現你更深厚的愛，你將從此更認識你對於人生應盡之責任。」老師，請放心，您的學生將永遠承擔這種悲痛！

——刊一九七八年二月二十四日《星島日報》副刊「七好文集」專欄。

❖ 證

一九七八年二月三日《工商晚報》頁二：〈新亞研究所所長　唐君毅教授病逝〉，內文報道：「香港新亞研究所所長唐君毅教授，於二月二日凌晨六時，在九龍浸會醫院逝世，享年七十二歲。唐教授於民國卅八年來港，與錢穆、張丕介等先生創辦新亞書院，歷任新亞書院教務長，哲學系系主任，香港中文大學成立後，為該校哲學講座教授，畢生致力宏揚中國文化，提倡人文精神，著作等身，桃李滿天下。」

新亞研究所所長
唐君敎教授病逝

【本報訊】香港新亞研究所所長唐君毅教授，於二月二日凌晨六時，在九龍浸會醫院逝世，享年七十二歲。

唐敎授於民國卅八年來港，與錢穆、張丕介等先生創辦新亞書院，歷任新亞書院敎務長，哲學系系主任，香港中文大學成立後，爲該校哲學講座敎授，畢生致力宏揚中國文化，提倡人文精神，著作等身，桃李滿天下，今不幸逝世，誠中國文化界之一大損失也。

頃由治喪委員會發惡：唐敎授夫人秉承敎授遺

一塊踏腳石

「……在寧靜中，你的思想情緒，在它的自身安所。在寧靜中，你的性靈生活，在默默的生息。在寧靜中，你的精神，在潛移默運，繼續的充實自己。……」一個學生站在偌大而寧靜的禮堂裡，慢慢朗讀上面一段話，幾百人也在默默的聽。

那是多風的早上，唐君毅老師去世後一個月。

禮堂裡，相信只有我一個情緒最波動，因為恐怕只有我知道那段話的真正來源——一塊踏腳石！

我的學生，在三月初要負責主持早會，主題是「寧」。我由她們自己去籌備、組織。負責早會文字編寫的同學，從一本青年修養冊子裡，抄下許多段文字，作為串連整個節目的主幹，拿來給我看，問我好不好。沒說甚麼，我同意了。問她知道不知道作者是誰，她說不知道。

那是唐老師「人生之體驗」一書裡的幾段話。就讓他學生的學生朗讀出來吧！是最好的致敬。她們並不知道唐老師是我的老師，也不知道唐老師是誰，竟汲取了他的思想，玄虛一點說，那是一段師教因緣；落實一點說，卻證明了吾師那本書，對青年人的確具吸引和影響力。

不再說自己當年怎樣受這本書的影響了。當教師以後，面對許多對人生十分迷惘、憤怨的青年，常自苦無能為力，不禁想起這本書。可惜，有段時期斷了版，曾對唐老師提議重印，可是，他卻說：「那是我年輕時，較淺的思想。」言之下意，是不想重印了。但，縱極高的山，也該有個接近平地的登山梯階，能有多少中學生看懂「中國人民精神之發展」，「道德自我之建立」、「中國哲學原論」等巨著？看不懂，就是那麼好的思想，對他們也生不了作用。幸而，在一九七七年，這書終於修訂重版了，宛如吾師臨別人間，為照拂年輕人，在登山口重置一塊平穩的踏腳石，好使他們上道眺遠。

「人生之體驗」，是登山的第一塊踏腳石！

——刊一九七八年三月七日《星島日報》副刊「七好文集」專欄。

承教小記——謹以此段文字紀念唐君毅老師

我，從沒有在文字上，如此展示自己的過去，裡面包含了許多缺點、軟弱、無知。為了表示對吾師唐君毅先生的追念和敬意，為了讓還不知道唐老師的同學，知道世上曾有這樣的好老師，為了使自己對當下的缺點、軟弱、無知，有不斷的自省能力，我願意敘述三段往事。

*

那年，我只是個初中一學生，一向在家裡，是父母最寵愛的小女兒，但在兩年間，卻面臨了母親急病去世、年老父親的續絃、年輕繼母的敵視、父親急病去世，還有各種大小不一的家庭變故。一下子，我覺得全世界的痛楚都集中到身上來。我怨恨上天虧待！分不出皂白的憤怒，使我仇視一切接觸的人。就那樣，獨自躲在一間幽暗的中間房裡，度過了四年。那屋，原是載滿我童年歡樂的故居，為了戀戀於舊時記憶，忍受分租房客的欺壓，不懂照顧飲食惹來一身疾病，我似乎愈來愈沉迷那種一半出於自作的悲痛中。

初中三，是多麼危險的一年！如同許多年輕人一般，我帶著自以為是、閉塞、憤怒踏入心理變化最大的青年時期。尚幸的是母親為我培養的讀書興趣一直沒有減退，功課做好後，不是到街上亂逛，就是躲起來看書。那年夏天，是個重要的轉捩點。在偶然機會中，認識了正在新亞書院兼課的莫可非老師。（他是影響我最大的幾位老師之一，可惜，也去世了。）在他指導下，有系統地讀了一些中國文學作品。也是他，送給我一本唐君毅先生的「人生之體驗」——對我來說，一本絕對重要的書。

於是，在燈下，我展讀一段段異於尋常文學作品的文字，同時，也轉入人生道上的另一里程。

我悲哀，他說：「真實的悲哀嗎？他來了，你當放開胸懷迎接他。真實悲哀，洗去你其他的縈思，淨化了你心靈。雨後的湖山，格外的新妍，你的視線，從真實的悲哀所流的淚珠，看出的世界，也格外的晶瑩。」

我不信任人，他說：「當你同人接近時，莫有十分確切的證據，你不要想他也許有不好的動機，這不僅因為你誤會而誣枉人，你將犯莫大的罪過；你必是常常希望看見他人之善，你將先從好的角度去看人。」

我怠慢，他說：「你必須為實踐你的信仰而工作。你不息的工作，為的開闢你唯一之自己，所以工作之意義，不在其所有之結果，而在工作本身。」他更教導我的生活興趣要多方面化：「你的心感著多方面之興趣，如明月之留影在千萬江湖。這並不會擾亂你的心內之統一。在真正嚴肅的生活態度裡，各種形式之生活內容，是互相滲透，而加其深度的。」

我開始平靜下來，思索和嘗試實踐，盼望雨後的新世界。由於熱愛唐先生的理論，我決定去當他的學生。於是，「升學新亞」，成為努力嚮往的目標。經濟問題必須解決，為了取得獎學金，我開始集中精神讀書，闖過會考和入學試兩關。

現在回顧，真覺那時的憤怒，差點使我山窮水盡，是唐先生的「人生之體驗」，為我撥開雲霧，得睹天清地寧。

新亞入學口試的那天，主考人正是唐先生。他問了些很普通的問題，我怎樣應付過去，現在也記不起來了，但最後一個問題，卻仍清楚記得。大概唐先生看見表格上，志願項中，我全填了「新亞」，便問道：「你愛中國文化嗎？認為在香港，中國文化能散播嗎？」一向，我自以為愛中國文化，第一點答案該是肯定的。但第二點，由於生於斯長於斯，又受了許多年官校教育，我竟不加細想便回說：「恐怕沒有甚麼希望！」唐先生聽後，抬起頭來看我的眼神，到今天，仍清晰印在腦海裡，似乎有點惋惜我的無知，卻有更多的疑問。往後，他再沒說甚麼！便打發我出去。回來後，跟同學談起，他們都唬嚇我，會因那個不得體的答案，進不了新亞。幸而，不久，我便註冊正式成為新亞學生了。

站在高大，藍色玻璃窗的新亞圖書館內，夏日早晨的陽光，十分耀眼。我首次訝於學問的博大。驀然，由中學畢業帶來一腔「捨我其誰」的傲慢，完全散碎了。跟中學課程完全不同的科目、上課方式，使我心裡充滿亢奮，也帶點手忙腳亂，尤其第一個月上唐老師的「哲學概論」課，我盡最大努力把聽到的記錄下來。這對於新生，實在十分吃力。

就在那年十月，新亞發生一宗懸旗事件。據說每年十月，新亞宿生都會懸掛國旗，但自那一年開始，由於接受了政府津貼，便不能再在校舍內掛旗了。作為新生的我們，並不太清楚是甚麼回事，只知道舊同學都十分激動。在一個晚會上，我第一次看見許多人為了「國家」痛哭的場面，也第一次聽到唐老師說民族、文化、原則等等觸動的問題。天地忽然擴大起來，雖然頓感渺茫，但當下便從自我跑出來，以後，關懷的再不只是自己了。

新亞四年，不斷選修唐老師的課，很難撿拾具體例子來證明他怎樣影響我。一陣春風吹過，萬物便逢生機，又有誰能捉住一絲春風給人看，說「這就是帶來生意的春風」。我從不到辦公室去看望他，所以肯定一切影響是來自授課和著作上。上過唐老師課的人，都必然難忘他授課時「忘我」和「投入」的情況，這該是他說的：「你當自教育中，看出人類最高之責任感、最卓越之犧牲精神。」正因如此，他的授課，包含了兩重意義，一是用語言文字表達的知識學問，一是用精神行為暗示的道理。對於我，後者的啟導力最大。四年來，我學得絕不多，但卻獲得「世界無窮願無盡，海天寥闊立多時」的好境界。

*

從新亞、師範畢業出來，我抱著無比的信念和愛心，走上教育工作的漫漫長路。我嘗試實踐唐老師說的：「在兒童的人格中，看出每一兒童，都可完成其最高人格之發展，都可成為聖哲」這信念。可能太年輕，意氣太飄舉，竟忘了這段話下面另一段：「這一切向好之可能性，可永不實現，另外有無盡向壞之可能性。攜著兒童在崖邊行走，永懷著慄慄之危懼，不能有一息之懈弛。」也忽略了社會急劇變化帶來的種種逼力。遇上阻力一天比一天多，我的信心開始動搖，悲哀又再臨近。

當了教師的第七年，兩個女學生陷於社會不良風氣裡，使我的信心完全垮了。對於她們，我用過不少力，她們也信賴我，可是，依舊沒法抗拒一些更巨大的誘惑，終於出錯了。當她們向我說著悔恨的話時，我頓然心頭一空，就像在崖上救人，明明已緊握住他的手，但終也一滑，他便溜出掌中，往深淵飛墜。軟弱、哀傷，使我很震驚，只得向唐老師「求救」。每次去探望他，坐定下來，聽他正講著哲理，我就忘記「求救」這回事，而最奇怪的是：每次講的道理，都好像分明解答我帶去的問題似的。

有一回，他對我說：「你身體太弱，最好停一停，在閒中反照自身，看看執著的是不是一些虛象。」就這樣，他介紹我到日本京都大學去當研究員。

告別了教學生涯，我到了詩化的京都，很平靜地讀一年書。由於離開香港，才發現自己和它原來已訂下一種無可擺脫的關係。由於離開學生和學校，才察覺自己原來對他們有無限的思念。事情漸漸明朗，忐忑的心情沒有了。我又找到安心之所！

夏天，唐老師路過京都，他帶我到南禪寺去。坐在紅氈上，眼看滿庭幽草，我啖著無味的湯豆腐，他嚴肅地說：「淡中有喜，濃出悲外。」於是我一心如洗，明白超拔的道理，決定一條應走的路向。

*

推崇唐老師的人，都會用「大儒」、「哲者」、「博厚」這些字眼來稱頌他。污貶他的人，又會用「糊塗」、「固執」、「不識時務」這些句語描述他。我應該怎樣向下一輩描繪他呢？也許，我實在沒辦法說，因為知道他的事情並不多。能夠說的，只是他身體力行，堅持原則的精神，怎樣挽救我於水火之中。

煙波萬頃，把天邊朗月散化成閃閃銀輝，瞎者無緣可見，而站得愈高的看得愈多！對唐先生，也作如是觀。

——刊一九七八年三月十五日《大拇指》75期，作者署名小思。

一九七八年

蔡墓重修以外

「蔡元培先生的墓不再蕭條了！」今年清明後一天，幾個上過墳的學生帶回來這個消息。

聽過五四運動、北大、蔡先生的故事，她們就問蔡先生的墓在哪裡。終於，清明前一天，找到了，還把尚未完工的新墓誌，全抄下來。

每年，五四那天，我總習慣對新教的學生，說說那並不遙遠，但對他們來說卻十分陌生的一段熱血往事。順帶也會提到蔡元培先生葬在香港仔華人永遠墳場，和那孤單冷落的碑石。因此，每年總有一些學生，為了敬慕，或為了好奇，跑到墓前去看看。有好幾個男學生，多少年來的清明，都不忘到墓前致祭。

今天，蔡墓重修完成，四十多個北大人在墓前春祭。

報上這樣說：「蔡先生辭世已經三十八年，墓前致祭的北大學生亦垂垂老矣，真正受教於蔡先生的已是八十過外的老人了。」讀著讀著，不禁覺得滿紙淒然和憂慮。

要建一個體面的墓碑容易，但再過些日子，要真切關心的人上墳就難了。上墳還是件小事，我們該憂慮的是：有多少知道蔡先生的人？有多少承得起蔡先生精神的人？

在香港，一個中學畢業生不知道「五四運動」，並不奇怪——中三歷史課程趕得要命，一九一一年以後的事，總是草草交代，學生消化不來，也就忘掉了事。中四唸理科，不修中、外史，不是自己肯看點課外書的，此生就可跟中史絕緣。別說蔡元培，再偉大的歷史人物，也毫無印象。有時，在堂上激動地全神地說著近百年來的史實，偶然靜下來，瞥見座位上幾張惘然的臉孔，或一兩點淚光，心裡便禁不住酸痛。想著，這對他們有甚麼好處？好幾次，決定不再這樣對下一班說了。可是，回心一想，正因他們可能以後再也不唸歷史，最後一個機會，就讓他們承擔吧！

但願教中文的教師，都不反對這個想法。

——刊一九七八年五月十四日《星島日報》副刊「七好文集」專欄。

證

❖ 一九七八年四月六日《大公報》頁四：〈前北大校長 愛國教育家 蔡元培墓碑正重建 昨天清明節有人到墓前獻上鮮花〉

❖ 一九七八年五月八日《工商日報》頁七：〈北大同學會 公祭蔡元培 重修墓碑耗費十萬〉，內文報道：「北京大學同學會會員，昨日雲集蔡子民（元培）先生墓陵之前，公祭這位中國一代學者。……在香港仔華人永遠墳場，樹立了三十八年的舊墓碑，昨日仍置放在新墓碑後面，新碑的大理石是從台灣遠道運來，修葺工程費用逾十萬港元。昨往致祭的除了北大同學會會員外，還有各學府校長、教授、文化工作者。」

前北大校長 愛國教育家

蔡元培墓碑正重建

昨天清明節有人到墓前獻上鮮花

正重建的蔡元培先生新墓碑

一九七八年

塌包山

朋友從長洲回來，告訴我一個塌包山的故事。

凌晨時分，氣溫還是那麼燠熱。燈光沒有想像中那麼燦亮——真奇怪，鬧哄哄的會景裡，竟然沒有太亮的燈光嗎？我忍不住插嘴問。野台戲在上演，果然有幾十個熱心觀眾站在台前，留心地看。真的很留心，只是，「搶包山」開始前的一剎那，全都走光，連演戲的也停下來，很理所當然的停了，沒有任何詫異神色。人們圍住三大座包山。黑壓壓的人群，你會想到螞蟻，有點俗套，但恐怕只有這說法最恰當。

人們拚命向包山頂爬，踐踏著包子、踐踏著人，更多人鑽進山的內層，可以想像他們在黑暗裡，怎樣亡命的抓住竹子，也許用肘碰撞接近自己的人，腳會毫無章法踩了別人的身體。

嘞！嘞！嘞——「福如東海」、「安居樂業」，慢慢倒下來了，你沒法想像飄散在燠熱和人聲裡，那種竹子裂開的嘞——嘞——嘞——的聲音。人附在「福如東海」、「安居樂業」上面塌下來了。痛楚的肢體，半斷不斷的竹枝，殘了和未殘的包子亂作一堆，你以為人們一定很慌亂了吧？不，另外一座未塌的包山上，人們仍在拚命向上爬，就簡直像旁邊沒有甚麼變動。

半小時後，野台戲繼續響起鑼鼓，熱心觀眾繼續看他們的戲，坊眾繼續站路邊看救傷車在忙。

佈滿幸福象徵的包山，畢竟塌了！原因呢？

有人說竹子繩子太舊，有人說紮工不夠仔細，有人說搭棚時不小心碰碎了屋角蜘蛛網，有人說參神的沒齋戒沐浴，有人說搶包山的擠力太大……當然還可以找出更多原因來，但只有一個原因最重要，就是「忽視了任何一個足以引起倒塌的小毛病」的疏忽！

疏忽了任何一個小毛病，它就塌了，事後縱使找出一萬個原因，又怎樣？

以上是朋友告訴我的故事。

——刊一九七八年五月二十一日《星島日報》副刊「七好文集」專欄。

❖ **證**

一九七八年五月十四日《華僑日報》頁七「香港一週大事」：〈長洲包山倒塌傷廿四人〉，內文報道：「五月十日零時，長洲每年一度的太平清醮，發生嚴重意外，緊張刺激壓軸節目『搶包山』開始後不久，兩座包山突告倒塌，十九名男女無法走避，當場被壓傷，另五名警員亦在混亂中受傷。」

一九七八年

孤雛

實驗室裡，有四隻破殼出來還不夠一個星期的小雞，吱吱叫得價天響。我打外邊經過，好奇的探首看看，實驗室負責人譚小姐就讓我進去。

方方的小鐵籠，放在桌子上，關住四隻小雞。門一開，便你擠我擁、半爬半跌走出來，在籠子附近的桌面上，胡亂東跑西看。我伸手去摸，牠們一點也不怕，紛紛走到我掌上，莫名其妙地在指縫啄著啄著。

牠們總是亂闖，也不知道桌子離地很遠，好幾回，走到邊緣，就一骨碌跌到地上，得勞煩譚小姐逐一拾回來。

「小雞怎不怕人的？」看住一隻有褐色斑點，毛色不大好的小雞，在我掌中上上下下走個不休，就不禁問。

怎會怕呢？這並不是普通由母雞帶大的小雞。

適當溫度的燈泡，代替了母體的溫暖——機械只有好、壞效果，不會有愛、恨情緒。破殼初睹的，是本來要小心護育牠們，好作實驗的人類——毫無選擇，牠們認定這是個「美麗新世界」！

會跑會叫，餓了會啄米，渴了會喝水；羽毛一天天豐盛，身體一天天壯大，這都是本能，但，總有一種東西——或者不該稱那做「東西」，大概是抽象一點的特質，是人類為牠們安排的實驗設備，科學機械等等，沒法子賦給的。在這方面，這四隻小雞是名副其實的「孤雛」。

從前，聽那個用同胎三隻小猴子做心理實驗的故事，就很為那跟「木頭媽媽」和「機械媽媽」生活在一起的小猴悲哀。現在，又看見孤雛戀著人的手掌，更有禁不住的悚動。

「牠們以後怎樣？實驗完畢，怎樣處理？」譚小姐顯然沒準備我這樣問，抬起頭來微笑說：「你拿回去養啊！」當然，我不會養育這完全為了實驗而成長的小雞。至於牠們的未來命運怎樣，我也懦弱得不敢追問。不知道，有幾個人會關懷實驗完成後，實驗品該怎樣活下去。

（金禧事件後）

——刊一九七八年七月八日《星島日報》副刊「七好文集」專欄。

❖ **證**

一九七八年五月十五日《工商晚報》頁一：〈金禧學潮因由〉，內文報道：「寶血會金禧中學事件起源於去年六月九日，當時校內近千名師生在操場靜坐，要求澄清校內之財政問題，經過幾日後，律政司署在調查證據後，決定將金禧事件交由警方處理。本年二月該校校長梁潔芬修女，被商業調查課檢控十項偽造假賬罪名，她承認控罪，法官判她入獄六個月，但緩刑半年。至今年四月底，學校其中兩班學生懷疑書包被人搜過，她們遂向校方理論，結果導致四名學生被罰停課，另外三名受到警告。五月八日，現任校長關慧賢召開記者招待會，澄清金禧事件。星期二，有五百名教師學生前往港督府請願，要求撤換校長，其中十六名教師與學生家長稍後前往主教府請願。五月十二日星期五，在主教府外靜坐師生約三百人返回學校。另一方面教署與校方連續兩日舉行緊急會議，教育司署於昨日宣布封閉金禧中學。」

珍重珍重

這幾天，常常想起新亞校歌。

不必細數有多少日子沒聽沒唱這首歌了。反正，自己以為早把歌詞忘得有一句沒一句。「你們應該知道，學識是一回事，但人最重要的是有情感。……」就在那天晚上，老老少少同學聚在雲起軒，賓四師這樣對我們說話的時候，忽然，整首校歌清晰地自我心底泛起來。

當年，站在農圃道新亞書院那個小禮堂裡，唱著「手空空，無一物，路遙遙，無止境」，心裡的確十分感動，滿以為自己很了解開創者歷盡的艱苦；也輕率地暗自許諾：他日定當秉承「千斤擔子兩肩挑」的精神。

其實，那時候，真是不曉艱難。

漸漸，在成長過程中，在無數的軟弱裡，才深切體味這些詞句背後，原來有一套大學問，而這套學問，說來容易，做起來倒不簡單。

怎能挑得動千斤擔？怎能走得完遙遙路？這裡，單靠理智恐怕不成，還得有些甚麼支撐力，才可以一肩擔盡古今愁，抹乾淚和汗，繼續上路。

「艱辛我奮進，困乏我多情。」

「人最重要有情感。」一恍然，我明白了，支撐力就在「有情」。理智，很冷靜，叫人把利害看得透徹，你我分得太清。單憑了它，有時多想想個人利益，就甚麼都幹不成。情感，很熱切，像團火，控制得好，是燃燒自己，照亮別人；方向不對，就毀物害人。

在艱辛、困乏中，能奮進能不倦，這股熱，總不能缺少。「多情」，恐怕在許多人眼裡，已是個古舊名詞，甚至只不過是「傻瓜」的代名詞罷了。

在十分理智的冷眼注視下，毅然不脫當傻瓜的情懷，那就更見「有情」！

「珍重！珍重！」

——刊一九七八年十月三十一日《星島日報》副刊「七好文集」專欄。

先別滿意

沉寂了七年的「中文地位問題」，近來又響起來了。

從二十五團體發表「關於中文教育政策」聯合聲明開始，到考試局修改高等程度考試的投考資格、中大成立「語言教育研究中心」、港大學生會發起「爭取中文地位簽名運動」、天主教教會展開「教會語言本地化」運動等等，一系列「群眾」行動，似乎有了「令人滿意」的開端，但這一點點「滿意」，卻很容易演變成一種「危機」。

這並不是危言聳聽，而是過往事實帶給我們的教訓和憂慮。

八年前，「促成中文為法定語文」運動，由於許多人全心投入，做成一股前所未有的力量，像烈火掠過野草原，真有點勢不可當的聲威。不久，當局果然承認了中文的法定地位，有些人看見自己努力有了成果，不禁滿意地鬆一口氣，以為那火已照亮人心，以為燒盡野草荊棘，從此便得見坦途。這就是「危機」，因為面對強敵，戰鬥意志和警覺性一定很高，一旦滿意，便叫人鬆懈下來。正因當年燒得太易，忘卻落實做好除根工夫，等得春風一吹，野草還是長出來。八年後的今天，我們竟還在野草叢中兜圈子，走來走去，還闖不出一條生路，這無論怎樣說，都是一種悲哀。

我們無意貶低當年「促成中文為法定語文運動」的價值，更不否定它開路之功，但此際能客觀檢討和追補當年缺漏，正是適當時刻，也可充分表示後來有人秉承大業的決心。八年前的運動，欠缺了甚麼？就是衝勁之後，欠了持久而落實的建設計劃。雖然，八年來，仍有不少人默默地繼續努力，推展中文運動，但面對百年積習，各種特殊、微妙實際環境，分散的努力，往往變成浪費。

希望這另一次的中文運動，不是短暫的熱潮；不要太快滿意。共同合作，堅定目標，嘗試實踐各項改革計劃，那怕十年、二十年，我們必須堅持下去。

——刊一九七八年十二月三日《星島日報》副刊「七好文集」專欄。

證

❖ 一九七八年十月三十日《工商晚報》頁二：〈投考高級會考毋須中文合格　廿五團體同聲譴責　指為扼殺中文教育措施〉，內文報道：「香港考試局於去年成立後，統辦了『高級程度會考』（Higher Level Examination），及『高等程度會考』（Advanced Level Examination）。『高等程度會考』的投考資格規定為中學會考六科E級或以上成績，而六科中必須包括中文或英文。『高級程度會考』在語文方面只規定中學會考英文科必須考獲E級或以上，中文不必及格，此種規定，明顯地低貶了中文在香港的地位，直接誤導全港中學生的學習方向。」

一九七九年

等待

◇任香港中文大學中文系語文導師

夜已深了，我靜靜等待，等待黎明！

緊閉著窗，可是仍推不出從海上傳來的長鳴汽笛聲，隔鄰散透過來的歡呼和歌聲，更顯得帶點誇張的清晰。我知道，外邊，夜已深。

七十年代的最末一個年頭，來吧！

孩子，別再憂傷！這個年頭，大人們管它叫國際兒童年。今後，媽媽不會因爸爸不理家，活活把你浸死！今後，爸爸不會賭債纏身，抱住你從高樓上跳下來。社會風氣不會教十二歲的你——還不懂得死是甚麼一回事的你，只為生點氣便跳樓自殺。教育制度不會拿你當試驗品，叫你忍受許多莫名的苦惱。大人們會為你準備一個好的國度，在那裡，沒有蠱惑，沒有邪惡，你可以摘一顆星，唱快樂的歌，過著童年該過的生活。

我知道，外邊，夜已深。

七十年代的最末一個年頭，來吧！

孩子，別再悲哀！母親雖然窮苦，但不會遺棄你！異地的語音曾叫你迷了心竅，炮火曾灼傷你的肌膚。歷史，是個有良心的證人，曾看見你在那艘破船上，迎著巨浪，北向呼號：「救命！救命！」母親會伸出手，把你帶在身邊，讓你聽到溫柔的語調，更好好療治你一身傷痕。從此，不再流浪，就是再哭，也把淚落在鄉土上。

我知道，外邊，夜已深。

七十年代的最末一個年頭，來吧！

孩子，別再徬徨，父親不再沉迷「核子戰爭」的賭博，他會用巨大的手，撥開污染的空氣，讓你再見到晴朗天空；推動生產巨輪，給你豐衣足食。不必愁石油漲價，不必怕黑洞，一切有愛你的父親作主。

外邊，汽笛聲、歡呼和歌聲，都沉寂了。七十年代的最末一個年頭，已經來到，夜仍深，我靜靜等待，等待著黎明！

——刊一九七九年一月七日《星島日報》副刊「七好文集」專欄。

玻璃褲帶

一個學生跑來問我：「老師，甚麼叫『玻璃褲帶』？跟原子扯上甚麼關係？怎的又會叫『原子玻璃褲帶』？」

「你說甚麼？」給他沒頭沒腦的一問，我有點糊塗了，一時間也沒法子把這問題跟某種東西聯想起來。後來，弄清楚，才知道他正在看黃谷柳的「蝦球傳」——那是本以抗戰勝利後的香港，作為主要背景的小說，裡面第一部分「春風秋雨」，就用上了許多筆墨描繪那時候的香港某些層面。於是，慢慢向他解釋：那個時代，許多東西都愛冠上「玻璃」，「原子」的名字，其實，甚麼也不是，只是「透明」、「塑膠」、「新鮮」的代名詞罷了。勝利後，許多從沒見過的美國貨，都給運到香港來，因為「新奇」，做買賣的也不研究原名怎樣叫，只要薄的透明的，就加個「玻璃」；新鮮奇異的，就管叫「原子」。滿街叫賣「玻璃絲襪」、「玻璃褲帶」、「原子杯」，其實賣的是較薄的絲襪，透明塑膠料的男裝女裝「皮」帶、塑膠杯。

從這一問，不禁又叫我想起最近整理豐子愷先生的文章，遇上的譯名問題了。三十年代，許多外來語還沒有「約定」、「共通」的譯法，更不是我們現在慣用的譯名，看到「莫特爾」、「朔拿大」、「史的克」，如果不看上下文理，根本沒法子知道就是「模特兒」、「奏鳴曲」、「手杖」的當時譯法。能據上下文理來推想，問題還不算嚴重，像「玻璃褲帶」，就任憑看透全文，也委實難找出半點兒線索來。先別說三十年代文學作品裡的方言、土語、風俗習尚，就是只不過三十年前，在香港本地的用語，都已叫青年一輩讀者摸不著頭腦。儘管一些陌生名詞，對讀者研讀整本作品來說，不該有太大的阻力，但畢竟這些「時代隔」、「地域隔」，的確做成許多不便。

解決這些「隔」，消除這些不便，最佳方法是在再版、重印那些有文學價值的作品時，都請專人給「隔」的詞語，加上適當的注解，工夫似乎有點瑣碎，但對讀者卻有很大幫助。時代腳步太快，事物變化急劇，一轉瞬，許多流行事和語，變成「歷史陳跡」，注釋工作，實在不可缺少。

——刊一九七九年二月三日《星島日報》副刊「七好文集」專欄。

❖ **證**

一九四六年五月十六日《工商晚報》頁四：〈小姐衣料　源源運來　紛紛降價　玻璃褲帶　一落千丈〉，內文報道：「邇來美英澳舶來品運港增加，價格因而均隨而降落。日前曾一度值三百餘元之原子筆，現因大幫湧到，每枝僅售九十元左右。玻璃褲帶，來源暢旺，小販多有於街頭兜售，約十二元左右即可購，日前此種褲帶曾每條售至卅元。」

一九七九年

牽掛

最近，讀到日本漢學家實藤惠秀一篇文章：「對中國的稱謂——中日關係史中的微妙問題」。文中詳細敘述了歷史中，日本對中國的稱謂，又仔細分析了當時日本人對中國如此稱謂的心理狀態。其中最重要的部分，恐怕就是分析自大正時代以後，日本人心中口中「支那」這稱謂的含意變化。他引了郁達夫、郭沫若、夏衍的作品，證明當時中國人對日人稱中國為「支那」的反感；也分析了日人反對不用「支那」，而改稱「中國」的原因。

據說當時日本人反對採用「中國」一詞的第一個原因：「中國」這詞是對夷戎蠻狄而言，是自大傲慢的表現。實藤先生沒有舉出例子，我手邊剛有一則當年的日本電訊，抄錄下來，大概也可以作個具體的說明。據民國二十五年五月十四日華聯社東京電：「日本上議院無所屬議員三上參次於本月七日之貴族院本會議席上，發表一演說，謂中國妄自尊大，僭稱中華民國，而我方竟以中華呼之，冒瀆我國之尊嚴，莫此為甚，此後應改稱支那，以正其名。」三上參次任教大學二十八年，跟高津鍬三郎合著「日本文學史」，得過日本勳位，相信準可代表當時大部分高層日人的心態了。

在該文的「餘談」部分，我們知道實藤先生自二十世紀二十年代開始，就堅持採用「中國」這一稱謂，也為「反對帶輕蔑中國人的情緒和態度來叫支那」作過不少努力。對於他老先生和曾為此努力過的日本人，我們實在十分感謝。但自一九一五年日本對我國提出「二十一條」後，直到今天，由歷史事實烙刻在大部分日本人心中的「支那」一詞——尤其這詞背後包涵的輕蔑，這群日本學者究竟能產生多少更正作用呢？這委實叫人牽掛。

由歷史事實做成的錯誤，只有用現在和未來的事實去更正，由我們祖先不爭氣惹來的別人輕蔑，也只有靠當子孫的我們，用有效的行動去湔雪。我不理會侵華甲級戰犯東條英機為甚麼能位列「英靈」，卻萬分牽掛我們自己爭不爭氣！

——刊一九七九年四月二十六日《星島日報》副刊「七好文集」專欄。

書林擷葉

好幾個晚上，撥開許多事不做，靜靜躲起來，專心看素葉。春林裡，葉子帶了晨露，含孕著溫煦晶亮的陽光。人說一花一世界，花太艷太玲瓏；該說一葉一世界，葉子的脈像網，充滿生命感，卻不耀目。

書林裡，擷葉，揭頁，我看了四個世界。

（一）——你和我的「我城」？

西西「我城」。這是阿果的世界還是麥快樂的世界？是西西的「我城」還是你和我的「我城」？

這是片奇怪的葉子，看著看著，得細心找葉脈的紋路。最先可能會想想：十七扇門？漂亮糖？跟著，把看到的六幅相片，橫起來直起來聯想一下，當然也會想專心做門、盡責看門的阿北。然後向後看，就該想到那塊草地。末了，我們就聽到電話筒那邊的聲音，必須好好消化這些聲音。——這是片新奇的葉子。

（二）——鍾玲玲「我的燦爛」。這是片沾了露水的嫩葉，風一吹，有點不由自主，柔柔搖曳，無聲淌下淚，分明哭了，但又沒有哭，好不叫人心疼。

她說：「那一種明淨，算是今生我們曾經有過了。」真的，從「趕緊的做一件很正經的事」，卻給捉到囚籠裡去的時代，一直到「我的兒子怎樣怎樣」的日子，那都是一片明淨。儘管她自己寫道：「以前是水，現在是石頭。」但看罷這葉，就該明白，以前是水，現在是水，只為那明淨仍在。

（三）——何福仁「龍的訪問」。忽然想起，世上該有屬於那株六丈高的樹的葉子，憑著本幹的沉厚，葉便有護蔭的柔和。我很古老，堅持詩該溫柔敦厚，這裡就有。

（四）——淮遠「鸚鵡韆鞦」。他說自己愛植一種羽狀葉的黃槐，但這卻整整是一撮生在仙人掌上的針狀葉。本來，它為了適應生存才變成這個模樣，但也會無意刺得人生痛。

——刊一九七九年五月十二日《星島日報》副刊「七好文集」專欄。

❖ 證

素葉叢書第一輯出版廣告，見一九七九年四月一日《大拇指》96期第二版。

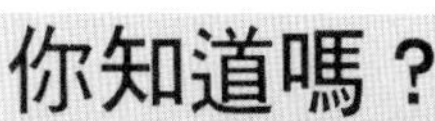

你知道嗎？

香港的、全新的 四部文學作品 四月一日面世

1. 西西／我城（小說）售價八元
2. 鍾玲玲／我的燦爛（詩和散文集）售價六元
3. 何福仁／龍的訪問（詩集）售價六元
4. 淮遠／鷓鴣韆鞦（散文集）售價八元

出版／素葉出版社

上環郵政信箱33809號

零售／傳達□平價□創作□田園

一山□學津□波文□上海

流離

一九六二年五月二十日，在新界山間，我第一次觸到「流離」——如血肉般真切的「流離」！

「喂！同胞！出來啊！有藥，有食物，出來呀！不用怕！」攜了藥品乾糧，我們踏遍草叢山凹。五月的陽光叫我們淌汗，不斷的呼喚令我們聲嘶。

那是「逃亡潮」到了高峰的時候。軍警搜捕行動愈來愈嚴，新界禁區範圍愈來愈擴大。梧桐山那邊未寒的屍骨，邊界上候押解的人群，都成了每天報上慣見主題。攜著食物去分派給自己毫不相識的人的人潮，也因軍警的阻力退減了。山嶺上，只見草萋萋，我們走了整個上午，遇不見一個人。

在長了草的山澗邊上，剛響過一陣我們的呼喚後，草叢裡出現七八個灰暗影子，慢而沉重，像充滿猜疑、受驚受傷的獸群，向我們移動。就在這幾分鐘裡，我沒有思想，沒有激動情緒，竟只是全身發抖，心裡慌得很——為甚麼慌？到今天，我還想不透。是怎樣迎上前去跟他們接觸的，現在也記不起了。

定定神，只見面前站著個二十來歲的男人，蠟黃臉色，眼睛呆滯但仍帶警覺的閃爍。赤著腳，卻把破爛得很的球鞋掛在身上。他開口第一句是問：「今天幾號？」我說：「二十號！」——這是十七年後，我仍記得那天是二十號的原因。

沉吟了一會，他抬起頭來，回望遠方，眼中沒有了呆滯、警覺，只閃著淚光，自言自語說：「已經五天了！我曾說過到了香港便寫信回家，唉！……媽一定等得好苦……」以後，這個人怎樣，我不知道，因為我們除了供應藥品食物外，實在沒有能幫助他的辦法。

十七年過去，一直以為自己對這件事，早已淡忘了。

可是，那幅流離圖，那閃著淚光的面容，卻仍清晰得可怕。

一個愛根愛土的民族，為甚麼會有人要流離？

——刊一九七九年六月十九日《星島日報》副刊「七好文集」專欄。

參

❖ 明天，我們怎樣告訴下一代？世上有一個民族，做了上帝眼中的邪惡事，便判處接受流離。我們呢？我們做了誰人眼中邪惡的事？……明天，我們這樣告訴子孫吧！世上有一個流離族，淚水永遠流在陌生土壤上！我們活下去，要記恨，也要記恩！我們為了上演人類悲劇而來！

——小思〈流離族〉，見一九七九年七月十日《星島日報》副刊「七好文集」專欄。

證

❖ 一九六二年五月十一日《華僑日報》頁七：〈飢民湧入英界　由梧桐山方面向沙頭角蓮麻坑一帶偷入　軍警分頭截捕集中後送回華境〉

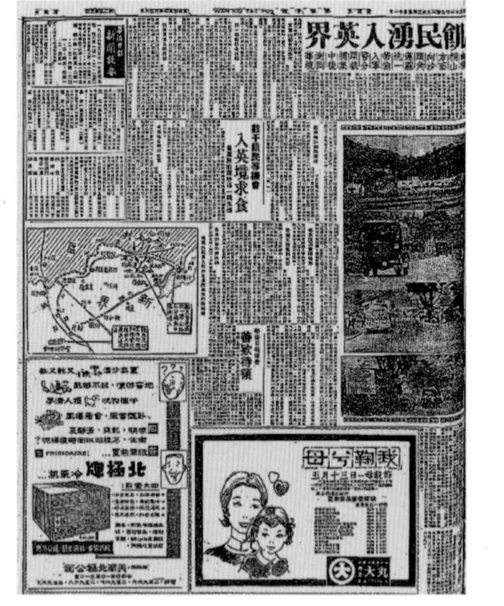

飢民湧入英界

入英境求食

「中文大學」這個名字

「中文大學」這個名字，對我來說，無論在感情或認知方面，都很特別！

十五年前，我頂著第一屆中文大學畢業生的「名銜」離開新亞，但對於中大，卻一無所知。也許，現在唸大學的同學，沒法相信那麼大的一件事，在當時我們心中，竟沒起過甚麼波瀾。隱隱約約有點擔心，只是怕從此失去新亞。唸完中學，決心投考新亞的時候，根本就沒有理會甚麼大學、書院的名稱，也不打緊未來的資格和地位，全心只想著去聽聽幾個心儀的老師講課，讀些自已愛的書。四年過去，等到畢業，穿上學士袍，站在農圃道那塊小小草地上，望著兩株還未成長透的鳳凰木，我有滿懷離緒。至於中大畢業禮，我們上台下台，彷彿演了場戲，簡直有點無關痛癢。中大，沒有形、沒有聲，只是一個名詞！

不久，我頂著中大畢業生這名銜找工作。終於找到一份月薪四百多塊錢的教職，滿心歡喜地踏上教壇。有人十分同情地說：「幹嗎？中大畢業生就只得這樣待遇？」有甚麼關係呢？我跟中大那麼不相干，無求於它，自然也不該埋怨。中大，依舊沒有形、沒有聲，只是一個名詞。

直到有一天，……

中大入學試放榜了，合格的學生滿臉徬徨跑來：「老師，表格上要填入學志願，怎麼辦？選甚麼學院甚麼系啊？您是中大的，知道得清楚，幫幫我們吧！」學生說我是「中大的」，在她們那緊張的抉擇關頭，我已經忘了分辯，竟然理所當然地承擔了這個責任，回過頭來仔細看看中大！

她們一批又一批進了中大，出了中大。通過她們，我慢慢捕捉了中大的面貌、精神；明白中大學生的憂和樂；擔心她發展遭到阻障。

「我們住在宿舍裡，您來逛逛，好嗎？」

學生帶我沿火車站，朝山上走。「這是崇基，……這是聯合，……這是新亞，……圖書館裡的書……，飯堂裡的飯菜……宿舍裡的……」她們熱切地告訴我中大的一切。往後，也談到中大學生的責任、前途……。

中大，不再只是一個名詞，因為她連繫了我身旁一些人的憂樂！

抬頭看，山坡上的一幢幢建築物構成一幅「中大風景」，如果多植些草樹，會多一點蔭護感。十年樹木，還得要靠灌溉的辛勤。中大，這是我知道關於她的一件事！

刊一九七九年八月二十日《中大學生報》38期，作者署名小思。

「文學周」餘談

市政局辦的文學周過去了，但依舊有許多人談論它。

「想不到那麼熱鬧，門外一條等候入場的人龍——一條愛好文藝的人龍，真少見也夠叫人感動。」許多人這樣說，都表示了意外的驚喜。

其實，這的確有點意外，但不是完全意外。話怎樣講？因為市政局辦的公開講座，這並不是第一次。就記憶所及，「天文叢談」就很熱鬧，首講安排在高座演講廳，拿不到入場票子的人在門外團團轉不肯離去。以後各講移到低座劇院去舉行，才解決了座位不足的問題。此外，還有科學衛生等講座，都有許多年輕人支持。這說明了，需要益智活動的人委實不少，只要有人肯出力辦些好節目，不愁沒有擁護者。因此，文學周講座，出現人龍，並不完全意外。但，的確有點意外。在人們講求實際、實用、具體、趣味的現代化社會裡，文學是甚麼？許多人認為是種「多餘」的、等待死亡的、跟實際生活完全拉不上關係的東西。說趣味，它比不上天文學；說實用，它比不上科學衛生研究。如今，人龍出現了，不是有點意外嗎？雖然有人仍認為五百萬人口的城市中，短短一條人龍，並不值得大驚小怪，但，畢竟，這對文學的關懷來說，已經是一服強心劑了。

辦文學活動，近來年，最有幹勁、規模較大的是港大中大學生推動的「青年文學獎」，規模較小的也有「時代青年」、「突破」、「大拇指」等雜誌社。他們都憑著熱愛文學的誠意，在有限的人力、經濟條件下，努力闖出一條路。他們在歷年奮鬥中，解決過不少困難，積累了不少經驗。市政局起步較遲，如果能汲取他們的經驗，再加上本身有利的條件，成效一定不會令人失望。

我們總希望：推動文學，又多一支有誠意的新軍！

——刊一九七九年九月八日《星島日報》副刊「七好文集」專欄。

❖ 一九七九年七月十五日《華僑日報》頁七：〈市局將辦文學周　名學者專題演講　文學獎收到稿件九百餘份〉，內文報道：「市政局計劃於八月二十日至廿六日與明報合辦『文學周』，屆時將假座大會堂劇院舉行一連串之專題講座，敦請本港及海外名學者主講。胡菊人先生將主講『甚麼是現代小說』，白先勇先生主講『社會意識與小說藝術——五四以來中國小說的幾個問題』，蔡思果先生主講『散文與欣賞』等，其他講者如余光中先生，劉以鬯先生等，亦將於該周內作專題演講。」

❖ 一九七二年九月六日《華僑日報》頁十四：〈港大學生會慶祝鑽禧　設置「青年文學獎」　旨在提倡青年學生界創作風氣　即日開始收件　下月五日截止〉，內文報道：「香港大學學生會為慶祝成立六十周年鑽禧紀念，特於十一月八至十八日舉行『文化節』，節目包括歌舞、影劇、音樂、辯論、徵文等。其中『青年文學獎』一項，旨在提倡青年學生界創作風氣，並試圖建立本港長久性而有代表性之『文學獎』，歡迎全港大、中學生或年未滿廿五之青年投寄文學性創作。」

一九七九年

鬥草

「瘋劫」裡，有一場描述一對男女在樹下玩「酸味草」。據陳韻文說，有些負責道具的人也不知道甚麼是「酸味草」。我聽了，不禁懷疑，怎麼這種童年最尋常的玩意，現在竟已成「古玩」啦？為了證實一下，問了幾個年輕人，果然他們都沒聽過這種玩意。

其實，這是鬥草的玩法之一。「酸味草」，恐怕只是廣東人口中的俗名，正式名字該叫「酢漿草」。這草，自春到秋，在野外隨處可見。草長約三四吋，葉柄頂有三塊心臟形的小葉。鬥法十分簡單，兩個人各自找些酢漿草，把它連根拔起，小心剝去葉柄的表面皮層，卻讓三塊心形葉留在葉柄的頂端。這時候，鬥草的人拿住葉柄末端，就好像拿著細線繫了倒垂心臟，各拿一根，旋轉著葉柄，接近對方，兩根細線一碰，便會纏在一起。葉柄纏緊，決鬥開始，雙方用力一拉，誰的酢漿草斷了，便成敗將。這玩意看來簡單，但也講技巧。首先，選草要準。找一大叢酢漿草，裡面必有好幾根草王，選最粗大又不乾的。其次，剝草要巧。表皮剝得太多，留下的細線就不夠韌，容易給對方扯斷；表皮剝得太少，細線不柔，又跟對方纏不上。最後，就該看用力和戰略了。這絕不能用蠻力，否則，人家的不斷，自己的倒扯斷了；又要看主攻還是主守，雖然每回合不消一分鐘，又是大家一起用力，但微妙處，就在力度上還可分出攻守來。有些高手，拿了草王，可以過五關斬六將，十分威風。

除了鬥酢槳草，還可以鬥松針，方法更簡單，每人拿兩根頂部相連成一組的松針，跟對方的交加連起來，各緊抓松針的尖端往自己方向一拉，誰的兩根松針分開了，便算打敗。

春秋佳日，看見郊遊的青年，只顧開了收音機、錄音機，聽在家裡也聽，在床上也聽的熱門音樂，而忘卻聽聽自然界的風聲草聲，也不玩玩大自然供給的玩具，便覺可惜。

——刊一九七九年十一月三十日《星島日報》副刊「七好文集」專欄。

一九八〇

一九八〇年

平安的夢

◇任香港中文大學中文系副講師

這是一種很新鮮、奇異的體驗——子夜時分，隔著窗，跟街上一群陌生人招手，心頭泛起了陣陣暖意。

聖誕前夕，我睡得很早。……

彷彿聽見聖誕歌聲，還以為在夢中，可是，很快便認清楚，那是報佳音的訊息。沒想過甚麼原因，竟離了暖暖的被窩，站在窗前，只見冷清清的街上，站了三四十個年輕人，排了隊，依著指揮的手勢，認真的唱：「……平安夜，聖善夜……」一曲完了，有人抬起頭來，大概看看樓上有誰來分享他們的佳音。不知道別家屋子裡的人反應怎樣，我覺得自己應該有點表示——這窗裡，有一個人在聆聽，於是，把窗前的燈亮了。

燈一亮，他們全都抬起頭來。「聖誕快樂」的歌聲，自每人綻開的笑容中升起。他們在揮手，我也揮手，像老朋友久別重逢的打招呼。

歌聲漸漸遠去，這群陌生人的樣貌，一個我也記不起；也許，他們很快也忘掉了這揮手致意的場面，但濃濃的暖意，卻縈繞在我心中。

多渴想世間有些毫無是非交纏的單純人際關係，就像這樣，隔著窗，揮一揮手，彼此傳遞了關注溫暖訊息，然後，帶著好的記憶，各朝自己要走的路走去。

人類正處於戰亂紛繁，地球上許多角落充滿饑寒絕望的呼號，流離的血淚交織成二十世紀的史冊。在這時刻，我竟癡想從一群陌生人的歌聲、笑靨、揮手中，得到平安溫暖，也許，又有人要嘲笑我無知妄念了。又也許，有人以為我不肯面對人類的悲哀，獨自造著孩子的夢。

就讓別人怎樣想吧！不要指摘這個單純而溫暖的夢！感謝這群陌生的報佳音者，帶給我陣陣暖意……

「平安夜，聖善夜，……」人，原就該生活在平安、聖善的世界上，大家都揮一揮手，交換了關注和暖意，……

我再入睡，造一個孩子的夢！

——刊一九八〇年一月四日《星島日報》副刊「七好文集」專欄。

若到江南趕上春

一九八〇年

朋友赴江南。問我：「此去，該看些甚麼？」

要說，我總可以說上一大堆。

說西湖：南屏晚鐘、柳浪聞鶯，還是西泠橋、飛來峰？還是去訪一訪，當年我路過門外，問路人何處是岳墳，那老人家滿面驚惶，連遙指一下都不敢的岳王廟？——回來自可告訴我，岳武穆像已重雕，奸臣秦檜像也再鑄了，像翻一頁新的歷史。

說蘇州：庭苑深深，想像紅樓寶黛的傷情故事？還是寒山寺外，呆等夜半鐘聲？

說南京：石頭城？如今已無石。秦淮河？如今已無水。大概可買一掬雨花台石，它們受過風風雨雨，最懂興亡事跡。

說太湖，說莫愁？……都不說了。

不如這樣吧！晨露未乾，您就出去，去看嫩柳鮮翠得令人迷惑，去看覆了青苔的屋瓦上幾株新草迎風。看湖上小舟無人自橫，看樹叢間雛鳥學飛。

然後，您在青石的小巷口，等早起上班的人，嘎的一聲打開木門，提著些甚麼，推著腳踏車出來，打從您身邊走過。一些完完全全平凡的中國人，也許，您記不住他們的姓名，但他們開始一天實實在在的生活去了，如果您願意，跟他們道一聲早安，交換和煦如春的笑容。

您在渡口，會遇上幾個浣衣人，通常女的較多。她們捲起褲管，蹲在臨河的青石階上，拍打浣洗著衣服，偶爾，還會跟身旁友伴說些家常話。

歷史，雖然明明白白都印在書裡，但有時也無可奈何翻了一個樣貌。您不如去看年年歲歲踐約而來的春，去看今天實實在在生活的普通人。

「若到江南趕上春，千萬和春住」。

以此句送您赴江南！

——刊一九八〇年二月二十八日《星島日報》副刊「七好文集」專欄。

懷舊十題

一九八〇年

懷舊，不該是一股潮流！

懷舊之情，永遠藏在我們生命裡！

多少過去了的人、事、物，無論好的壞的，對的錯的，美的醜的，都是人的生活一部分，跟我們樂過憂過。

不是時刻纏在回憶裡，但偶爾，在某一瞬間，會無由地泛起幾乎在記憶中湮沒了的一個名字、一節情景、一種滋味、一段對話，或者一件完全無關重要的舊事。清晰得如在目前，可是再仔細追查下去，它們又會變得矇矇矓矓，彷彿像夢的碎片，叫人無法捕捉得住。

在匆匆的步伐中，只有回顧，才看得清楚自己走過多少路，留下多少笑和淚。

現在，懷舊潮來，但願它帶著「不忘故舊」的溫厚感情，回看為我們今天鋪路的昔日一切。又或者，不必計較甚麼成敗得失，不把事情看得那麼嚴肅，只在匆忙的今天生活中，稍作溫馨的回望，就讓我寫下懷舊十題。

籐書篋

——我們小學生，全都用籐書篋，沒有誰的比別人的好看，因為籐書篋全都一個樣子。

篋子用幼籐編成，一行行很有層次的花紋，有點像古老大屋的瓦簷。邊緣骨架要硬挺一些，會用上竹篾，其他如連住蓋子和篋身的扣環，都是籐編。閂住扣環的橫條枝，又開又拴的，活動多了，比較容易斷掉，我們就會找來一枝竹筷子，把左右兩邊的扣環一起閂住。

籐，很夠韌力，用上好幾年，也不見全破掉。往往是哥哥升中學，買個新的，舊的那個就留給弟妹。據說經了「人氣」，籐色變得油黃發亮，便愈韌愈滑，那才好用。做弟妹的也真的相信了這個說法，毫無異議地拿了舊篋子上學去。偶然有些結口鬆了，籐條甩出來往外豎，家裡總有人懂得修補，拿另一條籐或繩子，把結口紮緊。如果弄不好，就得千萬小心，別碰上時髦女士，免勾破人家名貴的「玻璃絲襪」，惹來一頓罵。

籐書篋很輕很好，只有一個毛病，下雨天，水會滲進裡面，弄濕了書簿，就很麻煩。

工人褲

——小學時，校服本來是藍布裙子，忘了打從甚麼時候開始，校方准許我們改穿工人褲。反正那些日子，白襯衣、藍工人褲的中小學生，滿街都是。

工人褲很耐穿。縫製時，家長通常吩咐裁縫師傅把褲子造得寬些，兩條吊帶長些，褲管比該有的長度多一兩寸，再把多出來的往內摺。人長高了，就先把吊帶上的鈕扣逐寸往下移。到了不能不移，才把褲管摺起部分放下。這樣，一條褲子可讓天天高的小伙子穿上好幾年，只有長胖了，就不大好應付，因為褲子總不能太闊。最初，要在近腰的兩旁加上套帶扣子，扣上可把褲子收窄。等人胖了，把扣子鬆開便成。可是，再胖些，就沒法子，只好縫新的了。這倒叫人開心，因為要等好幾年，才有新褲子呢！我卻很「不幸」，幾年也不高不胖，母親又把褲子裁得過分闊，於是我身上總像掛了個大藍布袋。

工人褲，穿起來頂舒服，只有肩膊不夠寬的人，會碰上一點點麻煩，由於帶子的鈕扣往下移，就顯得愈來愈長，很易從肩上滑下來，時刻要忙不迭把它拉回肩上去。

木屐

買木屐，是宗大事，因為那是母親唯一讓我挑選的東西。

——平時，在家裡穿皮拖鞋，說不上甚麼款式，只有木屐才多顏色。

灣仔道上，有兩三家木屐店。牆上一排排木架，架上一雙雙木屐，通常只掛女裝的，花紅花綠的，十分耀眼。男裝沒花樣，全是木色大板屐，掛起來也沒看頭。店裡櫃台很結實，顧客講好木屐，老闆或伙計便依腳型大小，在櫃台上，用釘子把木屐皮帶釘好，釘得又快又準。

木屐設計很奇怪，支著底部的地方分前後兩部分。前部不近屐頭，穿不慣，整個人重心會落向屐頭，走起路來就會一瘸一瘸的，穿慣了，當然不成問題。想來，木屐並不那麼好，我懷念的只是買木屐的日子。

沙示

——雖然，那時候，安樂汽水廠還沒關門，我趕得上喝安樂橙汁汽水的日子，但父親愛喝屈臣氏沙示，逛街倦了，總會買一瓶，父女倆分著喝。

喝沙示要講技巧，也得小心。

瓶蓋一打開，汽泡就往上衝，要趕快把瓶子傾斜一點點，汽泡才不會帶著水衝出來。倒進杯子裡，泡泡浮了一層，在深褐色的汽水上面，很熱烈的樣子。這時，立刻呷一口，呷到的只是似有似無的水泡，有些泡泡破了，水點還會濺到臉上；其餘不破的又會附在唇上，一圈微白，父親說大人豪放地喝啤酒時就是這個模樣。又是大人，又是豪放，真有意思。以後，喝沙示，我一定搶先呷這第一口，讓泡泡附在唇上，也就覺得很「豪放」！

喝沙示不能太急，嗆著了不是好玩的。喝下去，水往下吞，氣卻在食道裡朝上湧，一陣壓逼感升自胸口。要等一會兒，「嗝——」，氣，已衝過許多阻隔，變得輕快地由嘴裡冒出來，就是「嗝——」的長長一聲，人立刻感到「壓逼」消散，十分舒服。

製造了「壓逼」感，然後又等它消散，這大概就是喝沙示的樂趣。

白糖糕

——母親不大准我吃零食，只准在下午四點鐘左右，吃一點糕餅——陳意齋的薏米餅、雲片糕，或者街頭叫賣的白糖糕。三樣糕餅都是甜的、純白色的。我倒比較愛吃白糖糕，理由不在哪種好吃些，而是白糖糕多了一種「樂趣」。

夏天的下午，長街又熱又寂靜，三四點鐘，人就很睏。不遲不早，街上響起清朗的叫賣聲：「白——糖——糕。——白糖——凌——教——糕。」聲音拖得很長，只有「糕」字卻收得很急。這叫聲叫動了許多孩子的心。我們知道那賣糕的會在哪間店鋪門前停住，放下可撐開的木腳架，把頂著白糖糕的籐箕安在上面。我們知道他會停多少時間，我們會想辦法「提醒」母親賣糕的來了。母親不一定答應，但只要她一點頭，我便可飛奔到街上去，一角錢一塊閃著白光的糕，就在手上。又熱又睏的日子，很易過去了。

紫檀家具

紫檀家具，很沉實，很莊重，適宜放在大廳裡。

家裡大廳中央，擺著一張圓桌四張圓凳。桌面嵌了一大塊雲石——細看像幅雲水蒼茫的中國畫。桌子和凳子的腳都向內彎成弧度，紫檀的黑亮光澤，就因為那些弧度變得更顯眼。左邊貼近牆邊，放了兩把高靠背的椅子，兩張椅子之間放一張茶几。靠背上發亮的紫檀板刻著植物浮雕。右邊貼牆放了一張又大又高的紫檀「炕床」，由於沒有花紋，加上坐的人多，挨挨磨磨的，木更漆亮得閃光。這也是我的床。夏天，臥在紫檀床上很涼快，只是硬一點，輾轉反側之際，骨頭敲得床板咯咯作響。

父親認為家具蒙了塵就不好看，每天要打掃三次，每星期還得上蠟打磨一番，這些工作都全落在我身上。星期六下午，我會很用心的把所有紫檀家具上了蠟，然後慢慢把它們擦得閃亮。看到家具的光澤，心裡就很高興。大概正為了這種快樂，我從沒把上蠟工作當成苦差，對那些工具，又多了一點點難以形容的感情。

籐椅

籐椅，很輕很柔，給人一種閒適，像度假的感覺，適宜放在露台或騎樓上。

家裡騎樓，放著兩張大籐椅。歷史悠久，這從它深黃顏色和因久經「人氣」的潤澤，可以證明。也因用得久了，坐的部分受力多，變得凹下去，小孩子坐，就像藏在小竹簍裡。把手和椅腳的籐也鬆脫了，家人找來新籐，重新纏紮，由於顏色比舊籐淺得多，我們便叫它們作「四蹄踏雪」。

坐紫檀椅，姿態要四平八穩；坐籐椅，倒可十分隨便，通常可以盤坐在裡面。有時，又可半臥半睡，把腿擱在另一張椅子上，舒服得很。

漫長的暑假，我就多坐在籐椅上看書，睡懶覺。有時候甚麼也不做，坐在椅上，搖搖擺擺，聽籐椅發出吱嘎吱嘎的聲音，就過一天。

廣播節目

假如說，現代的小孩子有一個充滿電視節目的童年，那我該有一個充滿廣播故事的童年。

那時候，香港電台的廣播時間短，內容又欠娛樂性，我們都不要收聽。家裡有座古老收音機，父親用竹竿在天台上裝了天線，於是可收聽廣州電台。上午十點多鐘開始就可聽南音，在瞽師口中，我聽完了整套「東周列國」、「背解紅羅」、「楊家將」、「鍾無艷」。中午時分，我聽李我的天空小說，又或鄧寄塵一人扮演五六個角色的諧劇。晚上又可聽「大戲」，甚麼「梁武帝出家」，「情僧偷到瀟湘館」，旺台的戲，倒可一連聽十次八次現場轉播，只可惜，我從不知道最後兩幕的情節，因為母親不准我遲睡。

再過些日子，有了「麗的呼聲」，香港電台的節目也豐富了，做聽眾的有點應接不暇，母親也開始「管制」，不讓我不分日夜的聽廣播。節目內容的多樣化，自然不能跟今天相比，但那是個很踏實的年代，講故事的人老老實實地講，聽眾也老老實實地聽，就這樣子，我們已經很滿足了。陳弓講「水滸傳」，葉慈航講「三國演義」，還講它跟正史的分別，教我們讀正字音。方榮講來講去還沒完的「濟公傳」、「七俠五義」，總不忘說說做人道理，最後例加幾句：「因果裡頭有句話……」。除了這些古老東西，在廣播節目裡，我們也可聽到「日出」、「雷雨」、「家」、「南歸」。滔滔講「蝦球傳」，讓我第一次知道過了獅子山，可以回到中國去。——原來祖國那麼近，小孩子心裡很興奮。以後還有鍾偉明講「林世榮」、「方世玉」，儘管武俠小說，或多或少仍少不了「忍辱負重」、「鋤強扶弱」、「忠奸分明」的教訓。

也許，這些早給人遺忘的空中聲音，實在比不上今天紅極一時的廣播員那麼「活潑」、「夠勁」、「隨便」（或「親切」），但我仍感到他們有不可磨滅的光輝。感謝他們的自覺和自尊，使我並不後悔自己有一個充滿廣播故事的童年。

街景

沒有電視節目可看的童年，我們看街景。

其實，也不見得有甚麼好看，冷冷清清的一段軒尼詩道，店舖沉沉實實的幾家。對街就有三家中藥店，其餘是雜貨店、裁縫店、麵包店、米店，都做街坊買賣，招牌掛上不知多少年代，又不作興賣廣告，誰好誰壞街坊心裡有數。

只有對戶一家怪魚酒家，有點新鮮興味。為甚麼叫怪魚酒家，孩子誰也沒有問過。店外一堵大牆上，是幅海底奇景圖。每年歲暮收爐前，就有油漆匠在上面繪新的一幅。無論畫面怎樣不同，例少不了一條美人魚和一個潛水銅人。看人家繪這牆畫，是這條街上孩子的大節目之一。我們會熱心猜想：今年的美人魚的姿態會怎樣子，旁邊又會有多少條怪魚。鮮明的漆油迎著新年，看得人很開心。我們會天天看這畫，一直到它在不知不覺的風雨侵剝中褪了顏色，一年就差不多過去了。

晚上，酒家燦爛的燈火，在沉寂的長街上，顯得充滿誇張的歡愉。設宴人家還會請來粵曲班助慶。入席前，多會燒一串很長的爆竹。儘管我們不喜歡燒爆竹，因為在很靜的晚上，實在太吵了，火藥味又嗆得人很辛苦，但我們依舊會熱心地看。憑爆竹的長度，可以猜測擺宴人家有多體面。爆竹燒過後，濃煙未散，野孩子在滿一地爆竹衣堆裡，搶拾未燒過的小爆竹，使夜間街頭充滿刺激。

白天，街景也並不流動。但每隔一段日子，總有些異常的「熱鬧」，那是出殯的行列經過。孩子心中沒有死亡的悲哀，不過仍知道看那種「熱鬧」就不該笑。我們默默看一對藍字白燈籠，看中西樂隊不整齊的步伐，藏著棺材的大花塔，白幃帳裡，要人攙扶的披蔴戴孝的死者親人，跟在後頭的送殯行列。我們默默聽嗩吶刺耳的長號，洋樂隊大鼓一下又一下，震動由耳膜傳到心裡。孝幃裡偶有個人呼天搶地的哭聲過後，看熱鬧的人散去，長街又回復老樣子——不流動。

炭和柴

——童年，在廚房裡流了不少淚！
不要誤會，那不是小丫頭廚房自嘆的故事，只因為燒的是炭和柴。

炭和柴，剛開始燃燒，火還未盛時，煙最濃。特別是柴不夠乾，要燒起來，真不容易。首先，得講把柴或炭架起來的工夫。爐子底的灰不能多，先要清理一下，然後找來舊報紙，鬆鬆一團作助燃。上面堆架的柴和炭，既要中間空隙多又要架得穩。先放幼枝再雜粗枝，這樣燃點起來，火會愈來愈旺。炭爐更要加把勁搧一搧風，用扇子，要考腕力，搧得過分，只揚起爐底的灰，對火，完全沒有作用。通常，我們不用扇子。廚房裡多備一管中空的、尺把長的竹筒，這就叫「火筒」。把「火筒」一頭放在爐裡，人在另一頭使勁吹，就可以助長火勢。

架柴搧風技巧好，也並不表示可以避免濃煙，還得看柴質好不好，夠不夠乾。遇上不好的柴，滿廚房是煙，甚麼「炊煙四起」，實在沒有詩意，只嗆得人一把眼淚。造飯時刻，幾個爐子同時燃起，人在廚房裡的滋味，恐怕用煤氣、石油氣、火水的「現代人」不容易感受了。

用柴還有一個步驟要預先做好的，那是「破柴」。較廉價的柴都是粗粗一段一段。柴店裡的人把一擔柴送來，我們就把它堆放在近廚房的走廊上。柴太粗，不好燒，必須先破開，大約是一破為四，就最適用。家裡有兩把柴刀，又重又大的一把給大人用，專管破有節的大柴；又輕又小的一把給我用，專破幼柴枝或把大人已破開的柴再破得幼些。

工夫到家的人，破柴的姿態很「瀟灑」，一手把柴放在墊木上，一手揮刀，凌空對準柴枝一砍而下，柴枝就應刀一分為二。我從沒膽量這樣做，總乖乖的把刀按在柴枝上，連刀連柴提起來，重重再放回墊木上，通常要兩三下，才能把柴破開。

柴破好了，再很有層次的堆疊起來，那天的任務也完成了，就很有成功感。我不怕破柴，只怕一不小心給刺傷。雖然，那算不了甚麼「傷」，只要請母親用針把刺剔出來，塗點紅汞水就好，但刺在肉裡時，很不好受。

——〈懷舊十題〉分別於一九八〇年五月十五日、五月二十七日、六月四日、六月十日、六月二十日、六月二十七日、七月七日刊《星島日報》副刊「七好文集」專欄。

一九八〇年

石門灣的水依舊流著：

豐子愷先生逝世五周年祭

石門灣的水依舊流著，純樸的鄉人依舊過著日出日落的平凡生活，而在這塊土地上，毫無印記，提醒人們：這裡曾孕育了一個可敬可愛的人——這個人在過去幾十年裡，憑著明慧和寬容，用文字和畫，給我們帶來溫馨和愛。——而這個人已經離開我們五年了。

不知道從甚麼時候開始，世道會變得如此怪異：「溫馨」是腐化的表徵，「愛」是嘲諷的對象。懷疑和怒火齕著人心，像患一場高熱病。從此，人們眼中看不見春陽朗月、嫩草鮮花，只看見烈日暴風、荊棘敗葉。

這時候，在小小的日月樓裡，他——豐子愷先生沉默地仍握著筆，重複又重複畫繪有楊柳、有詩、有兒童的畫，抄下一首又一首含蘊著古人溫厚特質的詩，譯了一頁又一頁日本古代的故事。

在狂流暴風日子裡，連沉默也成了一種罪狀。恕我是卑微的人，我問：他怨麼？恨麼？他還相信率真和愛麼？親近他的人說：他默默喝一杯酒，然後平淡地閒話家常，或者用漫畫家的幽默，恰當的敘述描繪一些事和人。他會跟小孩子玩耍，跟愛他的畫的三輪車夫聊天。

他在等待！

石門灣的水依舊流著。他是個愛鄉土的人，回去喝過一勺故鄉水後，歸來，就安詳躺下了。

他倦了麼？不！宛如溫柔的江南一灣水，恆久不斷注入海洋，他的意念和他所信的，也靜靜地流滿人間。

他等待，等待迷戀偽和恨的人們，像蕩遊罷的浪子回頭。等待東風解凍，第一絲綠意自冰硬石隙、寒瘦枝梢衝出。

有人說：都五年了，骨灰已冷，還說甚麼等待？

人的年壽有盡的時候，但有些事情是超乎年壽的。他傳遞的信念，像盞燈，自有後來人，接著！

骨灰雖冷，他不計較，且看：

石門灣的水依舊流著！春天還是會來的。

——刊一九八〇年九月十五日《明報》副刊「群英會」專欄，作者署名明川。

一九八〇年

太空館裡的瑣事

好容易才盼得香港太空館正式開幕了，星期天，趁著熱鬧人潮，進入這個屬於香港的太空館。我說「盼得」，只為遠在十八年前，在台灣的天象館裡，第一次知道可以坐在室內，從天幕上看到滿天星斗；第一次認真看清楚每一個星座的面貌、記住它們的名字，我便盼望香港也有座這樣的太空館，好讓愛星的人和不愛星的人，都有機會多看看「宇宙之大」！

據說門票早在預售期間賣光了，香港市民好新奇，這點沒有甚麼不好。展覽館裡，年輕人和小孩子（當然是六歲以上的）多得很，老人家也不少，圍住嶄新的儀器、陳列展品，指指點點談論著。有些需要個別細看的陳列品前，人們自動排成隊伍，秩序好得很。可是，總有些甚麼不對勁似的，我站在人群當中，心裡不好過。

參觀的人普遍有兩個習慣，第一：不看說明文字。也許，有些說明文字的確簡略了點；又或許那些說明，對某些程度的人，是深了點，但一般人站在展品前，總先互相問，這是甚麼？然後，有些胡亂猜猜，有些會看說明，有些嘴裡嘀咕，一會兒就走開了，可以說看了等於沒看。第二：亂摸亂按。這種情況，還可以分為無意的和惡意的。惡意的不必去說它，無意的就更令人難過，是教育的責任嗎？還是人本來就不單靠視覺，必須加上觸覺才算實在？於是不論可不可觸摸的東西，都動手去摸。

有些本就預備給參觀者親自動手去按的鈕，人們也不好好依指示循序去按，這樣，該看到的答案沒出來，電鈕也給弄壞了。

這座是屬於香港的太空館，它教育我們認識宇宙之大。至於我們身邊瑣事——瑣事卻是該幹的事，又是誰來教育我們？

——刊一九八〇年十月二十四日《星島日報》副刊「七好文集」專欄。

❖ 證

一九八〇年十月八日《華僑日報》頁十：〈香港最新地位象徵　太空館今開放　揉合科技教育娛樂一體　標誌文娛館第一期發展完竣〉，內文報道：「耗資六千萬港元的香港太空館今天正式開放給市民參觀，為各界市民提供更多文娛活動。……香港太空館的開幕，標誌著尖沙咀文娛館第一期發展的完竣。文娛館是由市政局和政府共同策劃的，規模甚為龐大，預算再興建一個音樂廳，兩間劇院和一座藝術館。」

中華民國六十九年公曆一九八〇年十月八日　星期三　華僑日報　WAH KIU YAT PO

香港最新地位象徵
太空館今開放
揉合科技教育娛樂一體
標誌文娛館第一期發展完竣

布政司姬達　昨主持揭幕

盧瑋鑾文編年選輯

一九五七—一九八〇 傻瓜的夢

作者 盧瑋鑾
編者 許迪鏘
責任編輯 周怡玲
書籍設計 李嘉敏
協力 清君

出版 三聯書店（香港）有限公司
香港北角英皇道四九九號北角工業大廈二十樓
Joint Publishing (H.K.) Co., Ltd.
20/F., North Point Industrial Building,
499 King's Road, North Point, Hong Kong

香港發行 香港聯合書刊物流有限公司
香港新界大埔汀麗路三十六號三字樓

印刷 美雅印刷製本有限公司
香港九龍觀塘榮業街六號四樓A室

版次 二〇一九年七月香港第一版第一次印刷

規格 三十二開（140mm × 210mm）三六八面

國際書號 ISBN 978-962-04-4468-5

三聯書店
http://jointpublishing.com

JPBooks.Plus
http://jpbooks.plus